CLASSIQUES
& CIE
LYCÉE

F...

de ...

René (1805)

Collection dirigée par
Marc Robert

Notes et dossier
Christophe Bois
agrégé de lettres modernes

PAPIER À BASE DE
FIBRES CERTIFIÉES

s'engage pour
l'environnement en réduisant
l'empreinte carbone de ses livres.
Celle de cet exemplaire est de :
300 g éq. CO$_2$
Rendez-vous sur
www.hatier-durable.fr

RENÉ

LIRE L'ŒUVRE

54   **Questionnaire de lecture**

L'ŒUVRE DANS L'HISTOIRE

56   **Le contexte historique**

60   **Le contexte culturel : les débuts du romantisme**

65   **Le contexte biographique**

67   **La réception de *René***

69   **Groupement de textes : le « mal du siècle »**

  TEXTE 1 Madame de Staël, *De la littérature considérée dans ses rapports avec les institutions sociales*

  TEXTE 2 Étienne de Senancour, *Oberman*

  TEXTE 3 Alphonse de Lamartine, « Le Vallon », *Méditations poétiques*

Conception graphique de la maquette :
c-album, Jean-Baptiste Taisne, Rachel Pfleger
Principe de couverture : Double
Mise en pages : Chesteroc Ltd
Iconographie : Hatier Illustration
Suivi éditorial : Alice De Wolf

© Hatier Paris, 2012
ISBN : 978-2-218-96228-8

Achevé d'imprimer par L.E.G.O. S.p.A. - Lavis (TN) - Italie
Dépôt légal: 96228-8/02 - Novembre 2013

L'ŒUVRE DANS UN GENRE

73   *René* : un genre ambigu

76   *René* comme roman

81   *René* comme apologue

83   *René* comme autobiographie déguisée ?

86   **Groupement de textes : un roman romantique**

     TEXTE 4 La jeunesse de René

     TEXTE 5 La crise de René

     TEXTE 6 L'aveu d'Amélie

     TEXTE 7 La leçon du père Souël et de Chactas

VERS L'ÉPREUVE
ARGUMENTER, COMMENTER, RÉDIGER

88   **L'argumentation dans *René***

92   **Groupement de textes : jugements critiques**

     TEXTE 8 George Sand, *Histoire de ma vie*

     TEXTE 9 Julien Gracq, « Le Grand Paon », *Préférences*

     TEXTE 10 Charles-Augustin Sainte-Beuve, *Chateaubriand et son groupe littéraire, sous l'Empire*

94   **Sujets**

   Invention et argumentation

   Commentaires

   Dissertations

Anne-Louis Girodet de Roussy-Trioson (1767-1824),
Portrait de François René de Chateaubriand
(1811), huile sur toile, 1.30 × 0.96 m, Château de Versailles,
ph © Nimatallah / Akg-images.

RENÉ

Nous donnons ici le texte de l'édition de 1805, Chateaubriand considérant « qu'il a reçu le degré de perfection » qu'il était « capable de lui donner » (préface).

Préface[1]

René, qui accompagne *Atala* dans la présente édition[2], n'avait point encore été imprimé à part. Je ne sais s'il continuera d'obtenir la préférence que plusieurs personnes lui donnent sur *Atala*[3]. Il fait suite naturelle à cet épisode[4],
5 dont il diffère néanmoins par le style et par le ton. Ce sont à la vérité les mêmes lieux et les mêmes personnages, mais ce sont d'autres mœurs et un autre ordre de sentiments et d'idées. Pour toute préface, je citerai encore les passages du *Génie du christianisme* et de la *Défense*[5] qui se rapportent à
10 *René*.

Extrait du Génie du christianisme, *II*[e] *partie, liv.* III, *chap.* IX, *intitulé : « Du vague des passions ».*

« Il reste à parler d'un état de l'âme, qui, ce nous semble, n'a pas encore été bien observé : c'est celui qui précède le

---

1. Nous donnons ici la partie de la préface de l'édition de 1805 consacrée à *René*, le passage précédent concernant *Atala*. \ **2.** *La présente édition* : l'édition d'*Atala* et de *René* chez Le Normant (Paris, 1805, in-12), dans laquelle Chateaubriand détache ces deux récits du *Génie du christianisme*. \ **3.** *La préférence que plusieurs personnes lui donnent sur* Atala : en fait, *Atala* rencontra auprès du public un triomphe immédiat et plus grand encore que *René*, même si ce dernier récit eut une postérité plus importante. \ **4.** *Il fait suite naturelle à cet épisode* : *René* constitue en effet la suite d'*Atala* ; mais, dans le *Génie du christianisme*, ce récit était placé après *René* ; il formait le livre VI de la IIIe partie, tandis que *René* constituait le livre IV de la IIe partie. L'édition de 1805 rétablit donc l'ordre chronologique en plaçant *Atala* avant *René*. *Atala* est le récit autobiographique du père adoptif de René, Chactas, qui y narre ses amours tourmentées. \ **5.** *Défense* : Chateaubriand publia une *Défense du Génie du christianisme* pour répondre aux violentes critiques dont l'œuvre avait fait l'objet.

15 développement des grandes passions, lorsque toutes les facultés[1], jeunes, actives, entières, mais renfermées, ne se sont exercées que sur elles-mêmes, sans but et sans objet. Plus les peuples avancent en civilisation, plus cet état du vague des passions augmente ; car il arrive alors une chose fort triste : le
20 grand nombre d'exemples qu'on a sous les yeux, la multitude de livres qui traitent de l'homme et de ses sentiments, rendent habile sans expérience. On est détrompé[2] sans avoir joui[3] ; il reste encore des désirs, et l'on n'a plus d'illusions. L'imagination est riche, abondante et merveilleuse, l'exis-
25 tence pauvre, sèche et désenchantée. On habite, avec un cœur plein, un monde vide ; et sans avoir usé de rien, on est désa-busé de tout.

« L'amertume que cet état de l'âme répand sur la vie, est incroyable ; le cœur se retourne et se replie en cent manières,
30 pour employer des forces qu'il sent lui être inutiles. Les anciens ont peu connu cette inquiétude secrète, cette aigreur des passions étouffées qui fermentent toutes ensemble : une grande existence politique[4], les jeux du gymnase et du champ de Mars[5], les affaires du forum[6] et de la place publique, remplis-
35 saient tous leurs moments, et ne laissaient aucune place aux ennuis[7] du cœur[8].

« D'une autre part, ils n'étaient pas enclins aux exagéra-tions, aux espérances, aux craintes sans objet, à la mobilité des idées et des sentiments, à la perpétuelle inconstance, qui

---

1. *Les facultés* : les facultés de l'âme, c'est-à-dire les capacités spirituelles et morales. \ **2.** *Détrompé* : désabusé. \ **3.** *Avoir joui* : avoir profité de la vie. \ **4.** *Une grande existence poli-tique* : une existence mise au service de l'État. \ **5.** *Les jeux du gymnase et du champ de Mars* : la pratique des sports et des exercices de préparation militaire. \ **6.** *Les affaires du forum* : les affaires publiques. \ **7.** *Ennuis* : tourments, désespoir. \ **8.** *Les anciens ont peu connu {…} aucune place aux ennuis du cœur* : certains auteurs antiques ont pourtant parlé de ces dispositions de l'âme, comme Sénèque (1er siècle après J.-C.), qui écrivait : « Étroitement confinées dans une prison sans issue, nos passions s'y asphyxient ; de là la mélancolie, la langueur et mille flot-tements d'une âme incertaine » (*De la tranquillité de l'âme,* II, 10).

⁴⁰ n'est qu'un dégoût constant : dispositions que nous acqué-
rons dans la société intime[1] des femmes. Les femmes,
chez les peuples modernes, indépendamment de la passion
qu'elles inspirent, influent encore sur tous les autres sentiments. Elles ont dans leur existence un certain abandon[2]
⁴⁵ qu'elles font passer dans la nôtre ; elles rendent notre caractère d'homme moins décidé ; et nos passions, amollies par le
mélange des leurs, prennent à la fois quelque chose d'incer-
tain et de tendre[3]. »

....[4]

« Il suffirait de joindre quelques infortunes à cet état indé-
⁵⁰ terminé des passions, pour qu'il pût servir de fond à un drame
admirable. Il est étonnant que les écrivains modernes n'aient
pas encore songé à peindre cette singulière position de l'âme.
Puisque nous manquons d'exemples, nous serait-il permis de
donner aux lecteurs un épisode extrait, comme *Atala*, de nos
⁵⁵ anciens *Natchez*[5] ? C'est la vie de ce jeune René, à qui Chactas
a raconté son histoire, etc., etc.[6] »

Extrait de la Défense du Génie du christianisme.

« On a déjà fait remarquer la tendre sollicitude des
critiques[7] pour la pureté de la Religion ; on devait donc s'at-
⁶⁰ tendre qu'ils se formaliseraient des deux épisodes[8] que l'auteur
a introduits dans son livre. Cette objection particulière rentre

---

1. *Société intime* : compagnie. \ **2.** *Abandon* : relâchement. \ **3.** *Tendre* : à la fois au sens de « malléable », de « fragile » et de « sensible ». \ **4.** Cette ligne de points remplace deux para-graphes de l'édition de 1802 du *Génie du christianisme*. \ **5.** *Natchez* : œuvre de Chateau-briand de 1826 relatant l'histoire d'une tribu indienne de Louisiane. \ **6.** *Etc.* : dans l'édi-tion de 1802 du *Génie du christianisme,* le récit de *René* commençait ici. \ **7.** *Critiques* : il s'agit ici des Philosophes uniquement [note de Chateaubriand]. \ **8.** *Deux épisodes* : *Atala* et *René*.

dans la grande objection qu'ils ont opposée à tout l'ouvrage, et elle se détruit par la réponse générale qu'on y a faite plus haut[1]. Encore une fois, l'auteur a dû combattre des poèmes et des romans impies[2], avec des poèmes et des romans pieux ; il s'est couvert des mêmes armes dont il voyait l'ennemi revêtu : c'était une conséquence naturelle et nécessaire du genre d'apologie[3] qu'il avait choisi. Il a cherché à donner l'exemple avec le précepte. Dans la partie théorique de son ouvrage, il avait dit que la Religion embellit notre existence, corrige les passions sans les éteindre, jette un intérêt singulier sur tous les sujets où elle est employée ; il avait dit que sa doctrine et son culte se mêlent merveilleusement aux émotions du cœur et aux scènes de la nature ; qu'elle est enfin la seule ressource dans les grands malheurs de la vie : il ne suffisait pas d'avancer tout cela, il fallait encore le prouver. C'est ce que l'auteur a essayé de faire dans les deux épisodes de son livre. Ces épisodes étaient en outre une amorce préparée à l'espèce de lecteurs pour qui l'ouvrage est spécialement écrit. L'auteur avait-il donc si mal connu le cœur humain, lorsqu'il a tendu ce piège innocent aux incrédules[4] ? Et n'est-il pas probable que tel lecteur n'eût jamais ouvert le *Génie du christianisme*, s'il n'y avait cherché *René* et *Atala* ?

---

1. *La réponse générale qu'on y a faite plus haut* : la réponse concernant le projet global du *Génie du christianisme*. Chateaubriand affirme notamment : « L'auteur a voulu considérer le christianisme dans ses relations avec la poésie, les beaux-arts, l'éloquence, la littérature ; il a voulu montrer en outre tout ce que les hommes doivent à cette religion, sous les rapports moraux, civils et politiques. Avec un tel projet, il n'a pas fait un livre de théologie ; il n'a pas défendu ce qu'il ne voulait pas défendre ; il ne s'est pas adressé à des lecteurs auxquels il ne voulait pas s'adresser ; donc il est coupable d'*avoir fait* précisément ce qu'*il voulait faire* ». \ **2.** *Impies* : opposés à la religion. \ **3.** *Apologie* : défense et justification d'une cause. \ **4.** *Incrédules* : incroyants ; ceux qui ne croient pas à la religion chrétienne.

Sai che là corre il mondo ove più versi
Delle sue dolcezze il lusinghier parnasso,
E che'l vero, condito in molli versi,
I più schivi allettando, ha persuaso[1].

85

« Tout ce qu'un critique impartial qui veut entrer dans l'esprit de l'ouvrage, était en droit d'exiger de l'auteur, c'est
90 que les épisodes de cet ouvrage eussent une tendance visible à faire aimer la Religion et à en démontrer l'utilité. Or, la nécessité des cloîtres pour certains malheurs de la vie[2], et pour ceux-là mêmes qui sont les plus grands, la puissance d'une religion qui peut seule fermer des plaies que tous les
95 baumes[3] de la terre ne sauraient guérir, ne sont-elles pas invinciblement prouvées dans l'histoire de René ? L'auteur y combat en outre le travers particulier des jeunes gens du siècle, le travers qui mène directement au suicide. C'est J.-J. Rousseau qui introduisit le premier parmi nous ces
100 rêveries si désastreuses et si coupables[4]. En s'isolant des hommes, en s'abandonnant à ses songes, il a fait croire à une foule de jeunes gens, qu'il est beau de se jeter ainsi dans le vague de la vie. Le roman de Werther[5] a développé depuis ce

---

1. *Sai che {...} ha persuaso*: citation de *La Jérusalem délivrée* (1580) du Tasse, poète italien (1544-1595); au début du chant I, le poète s'adresse à la Muse : « Tu sais bien que le monde accourt là où se répandent le plus/Les tendresses de l'aimable Parnasse,/Et que le vrai, enclos en de doux vers,/A persuadé les plus rétifs par sa séduction » (I, 3). La citation originale de Chateaubriand comportait quelques erreurs : *dove* pour *ove* (v. 1); *lusinger* pour *lusinghier* (v. 2); *verso* pour *vero* (v. 3). \ **2.** *La nécessité des cloîtres pour certains malheurs de la vie*: le fait qu'après certains malheurs de la vie il faille trouver refuge dans un couvent ou un monastère. \ **3.** *Baumes*: médicaments calmant la douleur. \ **4.** *Ces rêveries si désastreuses et si coupables*: allusion aux *Rêveries du promeneur solitaire* (posthume, 1782) de Jean-Jacques Rousseau (1712-1778), dans laquelle l'auteur se livre à l'analyse des mouvements de son âme. \ **5.** *Werther*: héros du roman épistolaire de l'écrivain allemand Goethe (1749-1832) intitulé *Les Souffrances du jeune Werther* (1774), qui raconte le mal de vivre et les tourments amoureux d'un jeune homme qui, à la fin, se tue. Cette œuvre a connu dans toute l'Europe un succès immédiat et gigantesque, suscitant même de nombreux suicides.

germe de poison. L'auteur du *Génie du christianisme*, obligé de
105 faire entrer dans le cadre de son apologie quelques tableaux
pour l'imagination, a voulu dénoncer cette espèce de vice
nouveau, et peindre les funestes conséquences de l'amour
outré[1] de la solitude. Les couvents offraient autrefois des
retraites à ces âmes contemplatives, que la nature appelle
110 impérieusement aux méditations. Elles y trouvaient auprès
de Dieu de quoi remplir le vide qu'elles sentent en elles-
mêmes, et souvent l'occasion d'exercer de rares et sublimes
vertus. Mais, depuis la destruction des monastères et les
progrès de l'incrédulité[2], on doit s'attendre à voir se multi-
115 plier au milieu de la société (comme il est arrivé en Angleterre), des espèces de solitaires tout à la fois passionnés et
philosophes, qui ne pouvant ni renoncer aux vices du siècle[3],
ni aimer ce siècle, prendront la haine des hommes pour l'élévation du génie[4], renonceront à tout devoir divin et humain,
120 se nourriront à l'écart des plus vaines chimères[5], et se plon-
geront de plus en plus dans une misanthropie orgueilleuse
qui les conduira à la folie, ou à la mort.

« Afin d'inspirer plus d'éloignement pour ces rêveries crimi-
nelles, l'auteur a pensé qu'il devait prendre la punition de René
125 dans le cercle de ces malheurs épouvantables, qui appartiennent moins à l'individu qu'à la famille de l'homme, et que les
anciens attribuaient à la fatalité. L'auteur eût choisi le sujet de
Phèdre s'il n'eût été traité par Racine[6]. Il ne restait que celui

---

1. *Outré* : excessif. \ **2.** *La destruction des monastères et les progrès de l'incrédulité* : la révolution
française, perçue par Chateaubriand, qui était monarchiste, de façon négative. \ **3.** *Siècle* :
monde. \ **4.** *Prendront la haine des hommes pour l'élévation du génie* : prendront le fait de haïr les
êtres humains pour la manifestation du génie. \ **5.** *Se nourriront à l'écart des plus vaines chimères* : se nourriront, à l'écart, des illusions les plus inutiles. \ **6.** *Le sujet de Phèdre s'il n'eût été
traité par Racine* : la tragédie *Phèdre* (1677) de Racine (1639-1699) raconte la passion amoureuse de l'héroïne éponyme pour son beau-fils Hippolyte.

d'Érope et de Thyeste[1] chez les Grecs, ou d'Amnon et de
130 Thamar[2] chez les Hébreux ; et bien qu'il ait été aussi transporté
sur notre scène[3], il est toutefois moins connu que celui de
Phèdre. Peut-être aussi s'applique-t-il mieux aux caractères[4]
que l'auteur a voulu peindre. En effet, les folles rêveries de
René commencent le mal, et ses extravagances l'achèvent : par
135 les premières, il égare l'imagination d'une faible femme ; par
les dernières, en voulant attenter à ses jours[5], il oblige cette
infortunée à se réunir à lui[6] ; ainsi le malheur naît du sujet, et
la punition sort de la faute.

   « Il ne restait qu'à sanctifier, par le Christianisme, cette
140 catastrophe empruntée à la fois de l'antiquité païenne et de
l'antiquité sacrée. L'auteur, même alors, n'eut pas tout à faire ;
car il trouva cette histoire presque naturalisée[7] chrétienne dans

---

1. *Érope et {...} Thyeste* : Sen[èque] in *Atr{ée}* et *Th{yeste}*. Voyez aussi Canacé et Macareus, et Caune et Byblis dans les *Métamorphoses* et dans les *Héroïdes* d'Ovide. J'ai rejeté comme trop abominable le sujet de Myrra, qu'on retrouve encore dans celui de Loth et de ses filles [note de Chateaubriand]. Tous ces sujets traitent de l'inceste à des degrés divers de parenté. Ils viennent de la mythologie antique, sauf le dernier : Érope fut séduite par son beau-frère Thyeste, et le mari trompé, Atrée, fit manger à Thyeste ses propres enfants après les avoir tués et fait cuire, et jeta Érope à la mer. Dans le livre IX des *Métamorphoses* d'Ovide (44 avant J.-C. – 17 ou 18 après J.-C.), Byblis déclare son amour à son frère jumeau Caune, qui, horrifié, s'enfuit. Byblis est prise de démence et, alors qu'elle va se jeter du haut d'un rocher, les Nymphes apitoyées la transforment en source. Dans le livre X des *Héroïdes* du même auteur, Canacé a un enfant de son frère Macarée. Myrrha, fille de Théias, roi de Syrie, est poussée par Aphrodite à désirer son père : elle s'unit à lui durant douze nuits et s'enfuit après qu'on découvre sa ruse. Elle est métamorphosée en arbre à myrrhe (une résine aromatique) dont l'écorce éclate dix mois après et donne naissance à un enfant magnifique : Adonis (cet épisode est relaté dans le livre X des *Métamorphoses*). Le dernier sujet provient de la Bible : les deux filles de Loth, ne trouvant pas de mari, enivrent leur père et s'unissent à lui (*Genèse*, XIX, 30-38). \ 2. *Amnon et {...} Thamar* : Reg., 13, 14 [note de Chateaubriand]. Cela signifie : dans le *Livre des Rois {Regum}*, dans la Bible, chapitres XIII et XIV. Amnon s'éprend de sa demi-sœur Thamar et la viole ; Absalon, frère de Thamar et demi-frère d'Amnon, le fait alors assassiner (on trouve en fait l'épisode dans le IIᵉ *Livre de Samuel*, XIII). \ 3. *Sur notre scène* : dans l'*Abufar* de M. Ducis [note de Chateaubriand]. *Abufar* (1795) est une tragédie en cinq actes et en vers de Jean-François Ducis (1733-1816), qui raconte l'amour du fils d'Abufar pour sa sœur. \ 4. *Caractères* : personnages. \ 5. *Ses jours* : les jours de René. \ 6. *Se réunir à lui* : venir le retrouver. \ 7. *Naturalisée* : devenue.

une vieille ballade de pèlerin, que les paysans chantent encore dans plusieurs provinces[1]. Ce n'est pas par les maximes répandues dans un ouvrage, mais par l'impression que cet ouvrage laisse au fond de l'âme, que l'on doit juger de sa moralité. Or, la sorte d'épouvante et de mystère qui règne dans l'épisode de René, serre et contriste[2] le cœur sans y exciter d'émotion criminelle. Il ne faut pas perdre de vue qu'Amélie meurt heureuse et guérie, et que René finit misérablement. Ainsi, le vrai coupable est puni, tandis que sa trop faible victime, remettant son âme blessée entre les mains de *celui qui retourne le malade sur sa couche*[3], sent renaître une joie ineffable[4] du fond même des tristesses de son cœur. Au reste, le discours du père Souël[5] ne laisse aucun doute sur le but et les moralités religieuses de l'histoire de René. »

On voit, par le chapitre cité du *Génie du christianisme*, quelle espèce de passion nouvelle j'ai essayé de peindre ; et, par l'extrait de la *Défense*, quel vice non encore attaqué j'ai voulu combattre. J'ajouterai que, quant au style, *René* a été revu avec autant de soin qu'*Atala*, et qu'il a reçu le degré de perfection que je suis capable de lui donner.

---

1. *Une vieille ballade de pèlerin, que les paysans chantent encore dans plusieurs provinces* : C'est le chevalier des Landes/Malheureux chevalier, etc. [note de Chateaubriand]. Allusion à une ancienne ballade populaire narrant une histoire similaire. \ 2. *Contriste* : attriste. \ 3. *Celui qui retourne le malade sur sa couche* : Dieu ; citation approximative d'un psaume de la Bible : « Yahvé le soutiendra sur son lit de douleur ; tu retourneras toute la couche où il languit » (XLI (XL), 4). \ 4. *Ineffable* : inexprimable. \ 5. *Le discours du père Souël* : ce que dit le père Souël à la fin de *René*.

En arrivant chez les Natchez[1], René avait été obligé de prendre une épouse, pour se conformer aux mœurs des Indiens[2], mais il ne vivait point avec elle. Un penchant mélancolique l'entraînait au fond des bois ; il y passait seul des journées entières, et semblait sauvage parmi des Sauvages. Hors Chactas, son père adoptif[3], et le père Souël[4], missionnaire au fort Rosalie[5], il avait renoncé au commerce des hommes[6]. Ces deux vieillards avaient pris beaucoup d'empire sur son cœur : le premier, par une indulgence aimable ; l'autre, au contraire, par une extrême sévérité. Depuis la chasse du castor[7], où le Sachem aveugle[8] raconta ses aventures à René, celui-ci n'avait jamais voulu parler des siennes. Cependant Chactas et le

---

1. *Natchez* : tribu indienne de la Louisiane. \ 2. *René avait été obligé [...] Indiens* : ces événements sont racontés dans *Les Natchez*. René épouse Céluta qui est amoureuse de lui et dont le frère Outougamiz l'a sauvé d'un effroyable supplice. \ 3. *Chactas, son père adoptif* : à son arrivée chez les Natchez, René supplie Chactas de le faire admettre parmi les guerriers Natchez et de l'adopter. Son nom vient sans doute d'une peuplade voisine des Natchez, les Tchactas. \ 4. *Le père Souël* : missionnaire jésuite ayant réellement existé. Né en 1695, il arriva en Louisiane en 1726 et y fut massacré en 1729. Mort à 34 ans, il ne devint jamais un vieillard. \ 5. *Fort Rosalie* : colonie française aux Natchez [note de Chateaubriand]. Cet établissement bâti sur une colline au bord du Mississipi et entouré d'une palissade avait été ainsi nommé en hommage à l'épouse de Jérôme Phélypeaux, comte de Pontchartrain, secrétaire d'État à la Marine et aux Colonies de 1699 à 1715. Il fut bâti en 1716 d'après un traité conclu entre les Français et les Natchez deux ans auparavant. \ 6. *Renoncé au commerce des hommes* : renoncé à se mêler à ses semblables. \ 7. *La chasse du castor* : elle est racontée dans *Les Natchez* (livres V à VIII). C'est à cette occasion que Chactas narre à René ses amours avec *Atala* ; cet épisode fut détaché des *Natchez* par Chateaubriand pour former *Atala*. \ 8. *Le Sachem aveugle* : Chactas. Chateaubriand emploie le mot « Sachem », d'origine phénicienne, pour désigner un « vieillard » ou un « conseiller » indien, comme il le précise en note dans le prologue d'*Atala*.

missionnaire désiraient vivement connaître par quel malheur un Européen bien né[1] avait été conduit à l'étrange résolution
15 de s'ensevelir dans les déserts[2] de la Louisiane. René avait toujours donné pour motifs de ses refus, le peu d'intérêt de son histoire qui se bornait, disait-il, à celle de ses pensées et de ses sentiments. « Quant à l'événement qui m'a déterminé à passer en Amérique, ajoutait-il, je le dois ensevelir dans un éternel
20 oubli. »

Quelques années s'écoulèrent de la sorte, sans que les deux vieillards lui pussent arracher son secret. Une lettre qu'il reçut d'Europe, par le bureau des Missions étrangères[3], redoubla tellement sa tristesse, qu'il fuyait jusqu'à ses vieux amis. Ils n'en
25 furent que plus ardents à le presser de leur ouvrir son cœur ; ils y mirent tant de discrétion, de douceur et d'autorité, qu'il fut enfin obligé de les satisfaire. Il prit donc jour[4] avec eux, pour leur raconter, non les aventures de sa vie, puisqu'il n'en avait point éprouvé, mais les sentiments secrets de son âme.
30 Le 21 de ce mois que les Sauvages appellent *la lune des fleurs*[5], René se rendit à la cabane de Chactas. Il donna le bras au Sachem, et le conduisit sous un sassafras[6], au bord du Meschacebé[7]. Le père Souël ne tarda pas à arriver au rendez-vous. L'aurore se levait : à quelque distance dans la plaine, on apercevait
35 le village des Natchez, avec son bocage de mûriers[8], et ses cabanes qui ressemblent à des ruches d'abeilles. La colonie française et le fort Rosalie se montraient sur la droite, au bord du fleuve. Des tentes, des maisons à moitié bâties, des forteresses

---

1. *Bien né* : noble. \ **2.** *Déserts* : vastes étendues peu ou pas peuplées, et non, comme aujourd'hui, étendues arides. \ **3.** *Bureau des Missions étrangère* : la Société des Missions étrangères avait été fondée à Paris en 1651 pour convertir au christianisme les peuples non chrétiens. \ **4.** *Il prit donc jour* : il convint donc d'un rendez-vous. \ **5.** *Ce mois que les Sauvages appellent la lune des fleurs* : le mois de mai, d'après une note de Chateaubriand dans *Atala*. \ **6.** *Sassafras* : arbre proche du laurier. \ **7.** *Meschacebé* : nom utilisé par certaines tribus indiennes pour désigner le fleuve Mississipi. \ **8.** *Bocage de mûriers* : groupe de mûriers.

commencées, des défrichements couverts de Nègres[1], des
40 groupes de blancs et d'Indiens, présentaient dans ce petit
espace, le contraste des mœurs sociales et des mœurs sauvages.
Vers l'Orient, au fond de la perspective, le soleil commençait
à paraître entre les sommets brisés des Appalaches[2], qui se
dessinaient comme des caractères d'azur, dans les hauteurs
45 dorées du ciel ; à l'occident, le Meschacebé roulait ses ondes
dans un silence magnifique, et formait la bordure du tableau
avec une inconcevable grandeur.

Le jeune homme et le missionnaire admirèrent quelque
temps cette belle scène, en plaignant le Sachem qui ne pouvait
50 plus en jouir ; ensuite le père Souël et Chactas s'assirent sur le
gazon, au pied de l'arbre ; René prit sa place au milieu d'eux, et
après un moment de silence, il parla de la sorte à ses vieux amis :

« Je ne puis, en commençant mon récit, me défendre d'un
mouvement de honte. La paix de vos cœurs, respectables
55 vieillards, et le calme de la nature autour de moi, me font
rougir du trouble et de l'agitation de mon âme.

« Combien vous aurez pitié de moi ! Que mes éternelles
inquiétudes vous paraîtront misérables ! Vous qui avez épuisé
tous les chagrins de la vie, que penserez-vous d'un jeune homme
60 sans force et sans vertu[3], qui trouve en lui-même son tourment,
et ne peut guère se plaindre que des maux qu'il se fait à lui-
même ? Hélas, ne le condamnez pas ; il a été trop puni !

« J'ai coûté la vie à ma mère en venant au monde[4], j'ai été
tiré de son sein avec le fer[5]. J'avais un frère que mon père bénit,
65 parce qu'il voyait en lui son fils aîné. Pour moi, livré de bonne

---

1. *Nègres* : esclaves noirs. \ 2. *Appalaches* : en réalité, cette chaîne de montagnes est située très
loin du Mississippi. \ 3. *Vertu* : force d'âme. \ 4. *J'ai coûté la vie à ma mère en venant au monde* :
réminiscence probable des *Confessions* (posthume, 1782-1789) de Rousseau (1712-1778) :
« Je naquis infirme et malade ; je coûtai la vie à ma mère, et ma naissance fut le premier de
mes malheurs » (livre I). \ 5. *Fer* : fer des forceps, instruments utilisés pour tirer la tête du
nouveau-né.

heure à des mains étrangères, je fus élevé loin du toit paternel.

« Mon humeur était impétueuse, mon caractère inégal. Tour à tour bruyant et joyeux, silencieux et triste, je rassemblais autour de moi mes jeunes compagnons ; puis, les abandonnant
70 tout à coup, j'allais m'asseoir à l'écart, pour contempler la nue fugitive[1], ou entendre la pluie tomber sur le feuillage.

« Chaque automne, je revenais au château paternel, situé au milieu des forêts, près d'un lac, dans une province reculée.

« Timide et contraint[2] devant mon père, je ne trouvais l'aise
75 et le contentement qu'auprès de ma sœur Amélie. Une douce conformité d'humeur et de goûts m'unissait étroitement à cette sœur, elle était un peu plus âgée que moi. Nous aimions à gravir les coteaux ensemble, à voguer sur le lac, à parcourir les bois à la chute des feuilles : promenades dont le souvenir
80 remplit encore mon âme de délices. Ô illusions de l'enfance et de la patrie, ne perdez-vous jamais vos douceurs !

« Tantôt nous marchions en silence, prêtant l'oreille au sourd mugissement de l'automne, ou au bruit des feuilles séchées que nous traînions tristement sous nos pas ; tantôt, dans nos jeux
85 innocents, nous poursuivions l'hirondelle dans la prairie, l'arc-en-ciel sur les collines pluvieuses ; quelquefois aussi nous murmurions des vers que nous inspirait le spectacle de la nature. Jeune, je cultivais les Muses[3] ; il n'y a rien de plus poétique, dans la fraîcheur de ses passions, qu'un cœur de seize années. Le
90 matin de la vie est comme le matin du jour, plein de pureté, d'images et d'harmonies.

« Les dimanches et les jours de fête, j'ai souvent entendu, dans le grand bois, à travers les arbres, les sons de la cloche lointaine qui appelait au temple l'homme des champs. Appuyé contre
95 le tronc d'un ormeau, j'écoutais en silence le pieux murmure.

---

1. *Nue fugitive* : groupe de nuages poussés par le vent. \ **2.** *Contraint* : embarrassé. \ **3.** *Je cultivais les Muses* : je faisais de la poésie.

Chaque frémissement de l'airain [1] portait à mon âme naïve l'innocence des mœurs champêtres, le calme de la solitude, le charme de la religion, et la délectable mélancolie des souvenirs de ma première enfance. Oh! quel cœur si mal fait n'a tressailli au bruit des cloches de son lieu natal, de ces cloches qui frémirent de joie sur son berceau, qui annoncèrent son avènement à la vie, qui marquèrent le premier battement de son cœur, qui publièrent dans tous les lieux d'alentour la sainte allégresse de son père, les douleurs et les joies encore plus ineffables de sa mère? Tout se trouve dans les rêveries enchantées où nous plonge le bruit de la cloche natale: religion, famille, patrie, et le berceau et la tombe, et le passé et l'avenir.

« Il est vrai qu'Amélie et moi nous jouissions plus que personne de [2] ces idées graves et tendres, car nous avions tous les deux un peu de tristesse au fond du cœur: nous tenions cela de Dieu ou de notre mère.

« Cependant mon père fut atteint d'une maladie qui le conduisit en peu de jours au tombeau. Il expira dans mes bras. J'appris à connaître la mort sur les lèvres de celui qui m'avait donné la vie. Cette impression fut grande; elle dure encore. C'est la première fois que l'immortalité de l'âme s'est présentée clairement à mes yeux [3]. Je ne pus croire que ce corps inanimé était en moi l'auteur de la pensée: je sentis qu'elle me devait venir d'une autre source; et dans une sainte douleur qui approchait de la joie, j'espérai me rejoindre un jour à l'esprit de mon père.

« Un autre phénomène me confirma dans cette haute idée. Les traits paternels avaient pris au cercueil quelque chose de sublime. Pourquoi cet étonnant mystère ne serait-il pas l'indice

---

1. *Chaque frémissement de l'airain*: chaque son de la cloche; l'airain est un autre nom pour désigner le bronze. \ 2. *Jouissions plus que personne de*: prenions plaisir plus que personne à. \ 3. *L'immortalité de l'âme s'est présentée clairement à mes yeux*: l'idée que l'âme est immortelle m'est venue clairement à l'esprit.

de notre immortalité ? Pourquoi la mort, qui sait tout, n'aurait-
125 elle pas gravé sur le front de sa victime les secrets d'un autre
univers ? Pourquoi n'y aurait-il pas dans la tombe quelque
grande vision de l'éternité ?

« Amélie, accablée de douleur, était retirée au fond d'une
tour, d'où elle entendit retentir, sous les voûtes du château
130 gothique, le chant des prêtres du convoi[1], et les sons de la
cloche funèbre.

« J'accompagnai mon père à son dernier asile ; la terre se
referma sur sa dépouille ; l'éternité et l'oubli le pressèrent de
tout leur poids : le soir même l'indifférent passait sur sa tombe ;
135 hors[2] pour sa fille et pour son fils, c'était déjà comme s'il n'avait
jamais été.

« Il fallut quitter le toit paternel, devenu l'héritage de mon
frère : je me retirai avec Amélie chez de vieux parents.

« Arrêté à l'entrée des voies trompeuses de la vie, je les consi-
140 dérais l'une après l'autre sans m'y oser engager. Amélie m'en-
tretenait souvent du bonheur de la vie religieuse ; elle me disait
que j'étais le seul lien qui la retînt dans le monde, et ses yeux
s'attachaient sur moi avec tristesse.

« Le cœur ému par ces conversations pieuses, je portais
145 souvent mes pas vers un monastère voisin de mon nouveau séjour ;
un moment même j'eus la tentation d'y cacher ma vie. Heureux
ceux qui ont fini leur voyage sans avoir quitté le port, et qui n'ont
point, comme moi, traîné d'inutiles jours sur la terre !

« Les Européens, incessamment agités, sont obligés de se
150 bâtir des solitudes[3]. Plus notre cœur est tumultueux et bruyant,
plus le calme et le silence nous attirent. Ces hospices[4] de mon

---

1. *Convoi* : cortège funèbre. \ **2.** *Hors* : sauf. \ **3.** *Se bâtir des solitudes* : allusion au livre de
Job (III, 14), dans la Bible : « *cum regibus et consulibus terrae qui aedificant sibi solitudines* »
(« Avec les rois et les grands de la terre, qui se bâtirent des mausolées »). Ici, le terme de
« solitudes » désigne non des mausolées mais des monastères. \ **4.** *Hospices* : refuges.

pays, ouverts aux malheureux et aux faibles, sont souvent cachés dans des vallons qui portent au cœur le vague sentiment de l'infortune et l'espérance d'un abri ; quelquefois aussi on les découvre sur de hauts sites où l'âme religieuse, comme une plante des montagnes, semble s'élever vers le ciel pour lui offrir ses parfums.

« Je vois encore le mélange majestueux des eaux et des bois de cette antique abbaye où je pensai dérober ma vie aux caprices du sort ; j'erre encore au déclin du jour dans ces cloîtres retentissants et solitaires. Lorsque la lune éclairait à demi les piliers des arcades, et dessinait leur ombre sur le mur opposé, je m'arrêtais à contempler la croix qui marquait le champ de la mort[1], et les longues herbes qui croissaient entre les pierres des tombes. Ô hommes, qui ayant vécu loin du monde avez passé du silence de la vie au silence de la mort, de quel dégoût de la terre vos tombeaux ne remplissaient-ils point mon cœur !

« Soit inconstance naturelle, soit préjugé contre la vie monastique, je changeai mes desseins ; je me résolus à voyager. Je dis adieu à ma sœur ; elle me serra dans ses bras avec un mouvement qui ressemblait à de la joie, comme si elle eût été heureuse de me quitter ; je ne pus me défendre d'une réflexion amère sur l'inconséquence des amitiés humaines[2].

« Cependant, plein d'ardeur, je m'élançai seul sur cet orageux océan du monde, dont je ne connaissais ni les ports, ni les écueils. Je visitai d'abord les peuples qui ne sont plus : je m'en allai m'asseyant sur les débris[3] de Rome et de la Grèce, pays de forte et d'ingénieuse mémoire, où les palais sont ensevelis dans la poudre[4], et les mausolées[5] des rois cachés sous les ronces. Force de la nature, et faiblesse de l'homme ! un brin

---

1. *Champ de la mort* : cimetière. \ **2.** *L'inconséquence des amitiés humaines* : le fait que les amitiés humaines ne durent pas. \ **3.** *Débris* : ruines. \ **4.** *Poudre* : poussière. \ **5.** *Mausolées* : monuments funéraires.

d'herbe perce souvent le marbre le plus dur de ces tombeaux, que tous ces morts, si puissants, ne soulèveront jamais !

185 « Quelquefois une haute colonne se montrait seule debout dans un désert, comme une grande pensée s'élève, par intervalles, dans une âme que le temps et le malheur ont dévastée.

« Je méditai sur ces monuments dans tous les accidents[1] et à toutes les heures de la journée. Tantôt ce même soleil qui avait vu jeter les fondements de ces cités, se couchait majestueusement, à mes yeux, sur leurs ruines ; tantôt la lune se 190 levant dans un ciel pur, entre deux urnes cinéraires[2] à moitié brisées, me montrait les pâles tombeaux. Souvent aux rayons de cet astre qui alimente les rêveries, j'ai cru voir le Génie des souvenirs[3], assis tout pensif à mes côtés.

« Mais je me lassai de fouiller dans des cercueils[4], où je ne 195 remuais trop souvent qu'une poussière criminelle.

« Je voulus voir si les races vivantes m'offriraient plus de vertus, ou moins de malheurs que les races évanouies. Comme je me promenais un jour dans une grande cité, en passant derrière un palais, dans une cour retirée et déserte, j'aperçus 200 une statue qui indiquait du doigt un lieu fameux par un sacrifice[5]. Je fus frappé du silence de ces lieux ; le vent seul gémissait autour du marbre tragique. Des manœuvres étaient couchés avec indifférence au pied de la statue, ou taillaient des pierres en sifflant. Je leur demandai ce que signifiait ce monu- 205 ment : les uns purent à peine me le dire, les autres ignoraient la catastrophe qu'il retraçait. Rien ne m'a plus donné la juste

---

1. *Dans tous les accidents* : sous toutes les lumières. \ 2. *Urnes cinéraires* : vases contenant les cendres d'un défunt. \ 3. *Génie des souvenirs* : être imaginaire personnifiant les souvenirs ; dans l'Antiquité, un génie était un esprit présidant au destin de chacun. \ 4. *Dans des cercueils* : dans des civilisations mortes. \ 5. *Une statue qui indiquait du doigt un lieu fameux par un sacrifice* : à Londres, derrière White-Hall, la statue de Jacques II [note de Chateaubriand]. Cette statue a été dressée à l'endroit où le roi Charles Ier d'Angleterre avait été exécuté sur l'ordre de Cromwell.

mesure des événements de la vie, et du peu que nous sommes. Que sont devenus ces personnages qui firent tant de bruit ? Le temps a fait un pas, et la face de la terre a été renouvelée[1].

210 « Je recherchai surtout dans mes voyages les artistes et ces hommes divins qui chantent les dieux sur la lyre[2], et la félicité des peuples qui honorent les lois, la religion et les tombeaux.

« Ces chantres[3] sont de race divine, ils possèdent le seul talent incontestable dont le ciel ait fait présent à la terre. Leur vie est
215 à la fois naïve et sublime ; ils célèbrent les dieux avec une bouche d'or[4], et sont les plus simples des hommes ; ils causent comme des immortels ou comme de petits enfants ; ils expliquent les lois de l'univers, et ne peuvent comprendre les affaires les plus innocentes de la vie ; ils ont des idées merveilleuses de la mort, et
220 meurent sans s'en apercevoir, comme des nouveau-nés.

« Sur les monts de la Calédonie[5], le dernier barde qu'on ait ouï dans ces déserts me chanta les poèmes dont un héros consolait jadis sa vieillesse. Nous étions assis sur quatre pierres rongées de mousse ; un torrent coulait à nos pieds ; le chevreuil
225 paissait à quelque distance parmi les débris d'une tour, et le vent des mers sifflait sur la bruyère de Cona[6]. Maintenant la religion chrétienne, fille aussi des hautes montagnes, a placé des croix sur les monuments[7] des héros de Morven[8], et touché la harpe de David[9], au bord du même torrent où Ossian[10]
230 fit gémir la sienne. Aussi pacifique que les divinités de

---

1. *La face de la terre a été renouvelée* : allusion à un psaume de la Bible, « *renovabis faciem terrae* » (« tu renouvelleras la face de la terre », CIV (CIII), 30). \ 2. *Ces hommes divins qui chantent les dieux sur la lyre* : les poètes. \ 3. *Chantres* : poètes. \ 4. *Avec une bouche d'or* : traduction de l'épithète grecque « *chrysostomos* », qu'on appliquait à plusieurs poètes et Pères de l'Église, dans l'Antiquité, le plus connu étant l'évêque de Constantinople, saint Jean Chrysostome (344-407). \ 5. *Calédonie* : ancien nom de l'Écosse. \ 6. *Cona* : nom d'une vallée écossaise. \ 7. *A placé des croix sur les monuments* : allusion à l'évangélisation de l'Écosse qui eut lieu aux VIIe et VIIIe siècles. \ 8. *Morven* : une des régions de l'Écosse primitive. \ 9. *Touché la harpe de David* : pris connaissance des vérités contenues dans la Bible ; dans l'Ancien Testament, le roi David est connu pour ses talents musicaux et poétiques. \ 10. *Ossian* : barde écossais du IIIe siècle.

Selma[1] étaient guerrières, elle garde des troupeaux où Fingal[2] livrait des combats, et elle a répandu des anges de paix dans les nuages qu'habitaient des fantômes homicides[3].

235 « L'ancienne et riante Italie m'offrit la foule de ses chefs-d'œuvre. Avec quelle sainte et poétique horreur[4] j'errais dans ces vastes édifices consacrés par les arts à la religion ! Quel labyrinthe de colonnes ! Quelle succession d'arches et de voûtes ! Qu'ils sont beaux ces bruits qu'on entend autour des dômes[5], semblables aux rumeurs des flots dans l'Océan, aux murmures 240 des vents dans les forêts, ou à la voix de Dieu dans son temple ! L'architecte bâtit, pour ainsi dire, les idées du poète, et les fait toucher aux sens[6].

« Cependant qu'avais-je appris jusqu'alors avec tant de fatigue ? Rien de certain parmi les anciens, rien de beau parmi 245 les modernes. Le passé et le présent sont deux statues incomplètes : l'une a été retirée toute mutilée du débris des âges ; l'autre n'a pas encore reçu sa perfection de l'avenir.

« Mais peut-être, mes vieux amis, vous surtout, habitants du désert, êtes-vous étonnés que, dans ce récit de mes voyages, je 250 ne vous aie pas une seule fois entretenus des monuments de la nature[7] ?

« Un jour, j'étais monté au sommet de l'Etna, volcan qui brûle au milieu d'une île. Je vis le soleil se lever dans l'immensité de l'horizon au-dessous de moi, la Sicile resserrée 255 comme un point à mes pieds, et la mer déroulée au loin dans les espaces. Dans cette vue perpendiculaire[8] du tableau, les

---

1. *Selma* : nom du palais de Fingal. \ **2.** *Fingal* : roi écossais légendaire, père d'Ossian selon les *Poèmes d'Ossian,* publiés en 1760 par James Macpherson (1736-1796) qui fit croire qu'ils avaient été écrits par Ossian lui-même ; ces ballades eurent une grande influence sur le mouvement romantique. \ **3.** *Fantômes homicides* : fantômes des combattants morts (réminiscence des ballades d'Ossian et des tragédies de Shakespeare). \ **4.** *Horreur* : admiration mêlée de peur et de respect. \ **5.** *Dômes* : cathédrales, selon leur nom italien *duomo.* \ **6.** *Toucher aux sens* : percevoir par les sens. \ **7.** *Monuments de la nature* : ouvrages de la nature, sites naturels extraordinaires. \ **8.** *Perpendiculaire* : d'en haut.

fleuves ne me semblaient plus que des lignes géographiques
tracées sur une carte ; mais tandis que d'un côté mon œil apercevait ces objets, de l'autre il plongeait dans le cratère de l'Etna,
260 dont je découvrais les entrailles brûlantes, entre les bouffées
d'une noire vapeur.

«Un jeune homme plein de passions, assis sur la bouche
d'un volcan, et pleurant sur les mortels dont à peine il voyait
à ses pieds les demeures, n'est sans doute, ô vieillards, qu'un
265 objet digne de votre pitié ; mais quoi que vous puissiez penser
de René, ce tableau vous offre l'image de son caractère et de son
existence : c'est ainsi que toute ma vie j'ai eu devant les yeux
une création à la fois immense et imperceptible, et un abîme
ouvert à mes côtés [1]. »

270 En prononçant ces derniers mots, René se tut et tomba subitement dans la rêverie. Le père Souël le regardait avec étonnement, et le vieux Sachem aveugle, qui n'entendait plus parler
le jeune homme, ne savait que penser de ce silence.

René avait les yeux attachés sur un groupe d'Indiens qui
275 passaient gaiement dans la plaine. Tout à coup sa physionomie
s'attendrit, des larmes coulent de ses yeux, il s'écrie :

«Heureux Sauvages ! Oh ! que ne puis-je jouir de la paix qui
vous accompagne toujours ! Tandis qu'avec si peu de fruit [2] je
parcourais tant de contrées, vous, assis tranquillement sous vos
280 chênes, vous laissiez couler les jours sans les compter. Votre
raison n'était que vos besoins [3], et vous arriviez, mieux que moi,
au résultat de la sagesse, comme l'enfant, entre les jeux et le
sommeil. Si cette mélancolie qui s'engendre [4] de l'excès du

---

1. *Une création à la fois immense et imperceptible, et un abîme ouvert à mes côtés* : probable réminiscence des «deux infinis» de Pascal (1623-1662) tirés des *Pensées* (1670, éd. Brunsch-
vicg, fragment 72). Pascal, qui était sujet à une hallucination, croyait qu'il avait un abîme
à son côté. \ 2. *Fruit* : profit. \ 3. *Votre raison n'était que vos besoins* : vous n'aviez besoin que
d'utiliser votre raison. \ 4. *S'engendre* : découle.

bonheur atteignait quelquefois votre âme, bientôt vous sortiez
285 de cette tristesse passagère, et votre regard levé vers le ciel cherchait avec attendrissement ce je ne sais quoi inconnu, qui prend
pitié du pauvre Sauvage. »

Ici la voix de René expira de nouveau, et le jeune homme
pencha la tête sur sa poitrine. Chactas, étendant le bras dans
290 l'ombre, et prenant le bras de son fils, lui cria d'un ton ému :
« Mon fils ! mon cher fils ! » À ces accents, le frère d'Amélie
revenant à lui, et rougissant de son trouble, pria son père de lui
pardonner.

Alors le vieux Sauvage : « Mon jeune ami, les mouvements
295 d'un cœur comme le tien ne sauraient être égaux[1] ; modère
seulement ce caractère qui t'a déjà fait tant de mal. Si tu souffres
plus qu'un autre des choses de la vie, il ne faut pas t'en étonner ;
une grande âme doit contenir plus de douleurs qu'une petite.
Continue ton récit. Tu nous as fait parcourir une partie de l'Eu-
300 rope, fais-nous connaître ta patrie. Tu sais que j'ai vu la France,
et quels liens m'y ont attaché[2] ; j'aimerai à entendre parler de
ce grand Chef[3], qui n'est plus, et dont j'ai visité la superbe
cabane[4]. Mon enfant, je ne vis plus que par la mémoire. Un
vieillard avec ses souvenirs ressemble au chêne décrépit de nos
305 bois : ce chêne ne se décore plus de son propre feuillage, mais il
couvre quelquefois sa nudité des plantes étrangères qui ont
végété sur ses antiques rameaux. »

Le frère d'Amélie, calmé par ces paroles, reprit ainsi l'histoire de son cœur :

310 « Hélas ! mon père, je ne pourrai t'entretenir de ce grand

---

1. *Égaux* : constants. \ 2. *Tu sais que j'ai vu la France, et quels liens m'y ont attaché* : les voyages
de Chactas sont racontés dans les livres V à VII de la première partie des *Natchez*. \ 3. *Grand
Chef* : Louis XIV [note de Chateaubriand]. Chactas a visité Versailles et Paris en compagnie d'un gouverneur du Canada. \ 4. *La superbe cabane* : le château de Versailles.

siècle [1] dont je n'ai vu que la fin dans mon enfance, et qui n'était plus lorsque je rentrai dans ma patrie. Jamais un changement plus étonnant et plus soudain [2] ne s'est opéré chez un peuple. De la hauteur du génie, du respect pour la religion, de la gravité
315 des mœurs, tout était subitement descendu à la souplesse de l'esprit [3], à l'impiété [4], à la corruption.

« C'était donc bien vainement que j'avais espéré retrouver dans mon pays de quoi calmer cette inquiétude, cette ardeur de désir qui me suit partout. L'étude du monde ne m'avait rien
320 appris, et pourtant je n'avais plus la douceur de l'ignorance.

« Ma sœur, par une conduite inexplicable, semblait se plaire à augmenter mon ennui [5]; elle avait quitté Paris quelques jours avant mon arrivée. Je lui écrivis que je comptais l'aller rejoindre; elle se hâta de me répondre pour me détourner de
325 ce projet, sous prétexte qu'elle était incertaine du lieu où l'appelleraient ses affaires. Quelles tristes réflexions ne fis-je point alors sur l'amitié, que la présence attiédit [6], que l'absence efface, qui ne résiste point au malheur, et encore moins à la prospérité !

330 « Je me trouvai bientôt plus isolé dans ma patrie que je ne l'avais été sur une terre étrangère. Je voulus me jeter pendant quelque temps dans un monde qui ne me disait rien et qui ne m'entendait [7] pas. Mon âme, qu'aucune passion n'avait encore usée, cherchait un objet [8] qui pût l'attacher ; mais je m'aperçus
335 que je donnais plus que je ne recevais. Ce n'était ni un langage élevé, ni un sentiment profond qu'on demandait de moi. Je n'étais occupé qu'à rapetisser ma vie, pour la mettre au niveau de la société. Traité partout d'esprit romanesque, honteux du

---

1. *Ce grand siècle* : le règne de Louis XIV. \ 2. *Un changement plus étonnant et plus soudain* : le siècle des Lumières. \ 3. *Souplesse de l'esprit* : opportunisme, arrivisme. \ 4. *Impiété* : absence de religion ou mépris pour la religion. \ 5. *Ennui* : tourment, profonde tristesse. \ 6. *Attiédit* : affaiblit. \ 7. *Entendait* : comprenait. \ 8. *Un objet* : une femme à aimer.

rôle que je jouais, dégoûté de plus en plus des choses et des
340 hommes, je pris le parti de me retirer dans un faubourg pour
y vivre totalement ignoré[1].

« Je trouvai d'abord assez de plaisir dans cette vie obscure et
indépendante. Inconnu, je me mêlais à la foule : vaste désert
d'hommes !

345 « Souvent assis dans une église peu fréquentée, je passais des
heures entières en méditation. Je voyais de pauvres femmes venir
se prosterner devant le Très-Haut[2], ou des pécheurs s'agenouiller
au tribunal de la pénitence[3]. Nul ne sortait de ces lieux sans un
visage plus serein, et les sourdes clameurs qu'on entendait au-
350 dehors semblaient être les flots des passions et les orages du
monde[4], qui venaient expirer au pied du temple du Seigneur.
Grand Dieu, qui vis en secret couler mes larmes dans ces retraites
sacrées[5], tu sais combien de fois je me jetai à tes pieds, pour te
supplier de me décharger du poids de l'existence, ou de changer
355 en moi le vieil homme[6] ! Ah ! qui n'a senti quelquefois le besoin
de se régénérer, de se rajeunir aux eaux du torrent, de retremper
son âme à la fontaine de vie[7] ? Qui ne se trouve quelquefois
accablé du fardeau de sa propre corruption, et incapable de rien
faire de grand, de noble, de juste ?

360 « Quand le soir était venu, reprenant le chemin de ma
retraite[8], je m'arrêtais sur les ponts pour voir se coucher le soleil.
L'astre, enflammant les vapeurs de la cité, semblait osciller
lentement dans un fluide d'or, comme le pendule[9] de l'horloge

---

1. *Totalement ignoré* : à l'écart de tous. \ 2. *Le Très-Haut* : Dieu. \ 3. *Tribunal de la pénitence* :
confessionnal, lieu où les fidèles se confessent de leurs péchés au prêtre. \ 4. *Monde* : lieu de
la vie profane, par opposition aux lieux de la vie religieuse. \ 5. *Retraites sacrées* : édifices religieux. \ 6. *Changer en moi le vieil homme* : réformer l'être que j'étais antérieurement ; on trouve
cette expression à plusieurs reprises dans les *Épîtres* de saint Paul. \ 7. *Le besoin de se régénérer, de se rajeunir aux eaux du torrent, de retremper son âme à la fontaine de vie* : allusions bibliques.
« Tu les abreuves au torrent de tes délices ; puisqu'en toi est la source de vie » (psaume XXXVI
(XXXV), 8-9). \ 8. *Ma retraite* : le lieu isolé où j'ai résolu de vivre. \ 9. *Pendule* : balancier.

des siècles. Je me retirais ensuite avec la nuit, à travers un laby-
365 rinthe de rues solitaires. En regardant les lumières qui brillaient
dans la demeure des hommes, je me transportais par la pensée
au milieu des scènes de douleur et de joie qu'elles éclairaient ;
et je songeais que sous tant de toits habités je n'avais pas un ami.
Au milieu de mes réflexions, l'heure venait frapper à coups
370 mesurés dans la tour de la cathédrale gothique ; elle allait se
répétant sur tous les tons et à toutes les distances d'église en
église. Hélas ! chaque heure dans la société ouvre un tombeau,
et fait couler des larmes.

« Cette vie, qui m'avait d'abord enchanté, ne tarda pas à me
375 devenir insupportable. Je me fatiguai de la répétition des mêmes
scènes et des mêmes idées. Je me mis à sonder mon cœur, à me
demander ce que je désirais. Je ne le savais pas ; mais je crus
tout à coup que les bois me seraient délicieux. Me voilà soudain
résolu d'achever, dans un exil champêtre, une carrière[1] à peine
380 commencée, et dans laquelle j'avais déjà dévoré des siècles.

« J'embrassai ce projet avec l'ardeur que je mets à tous mes
desseins ; je partis précipitamment pour m'ensevelir dans une
chaumière, comme j'étais parti autrefois pour faire le tour du
monde.

385 « On m'accuse d'avoir des goûts inconstants, de ne pouvoir
jouir longtemps de la même chimère, d'être la proie d'une
imagination qui se hâte d'arriver au fond[2] de mes plaisirs,
comme si elle était accablée de leur durée ; on m'accuse de
passer[3] toujours le but que je puis atteindre : hélas ! je cherche
390 seulement un bien inconnu, dont l'instinct[4] me poursuit.
Est-ce ma faute, si je trouve partout les bornes, si ce qui est
fini n'a pour moi aucune valeur ? Cependant je sens que
j'aime la monotonie des sentiments de la vie, et si j'avais

---

1. *Une carrière* : une existence. \ **2.** *Au fond* : au bout. \ **3.** *Passer* : dépasser. \ **4.** *Instinct* : connaissance instinctive.

encore la folie de croire au bonheur, je le chercherais dans
395 l'habitude.

« La solitude absolue, le spectacle de la nature, me plongèrent
bientôt dans un état presque impossible à décrire. Sans parents,
sans amis, pour ainsi dire seul sur la terre[1], n'ayant point encore
aimé, j'étais accablé d'une surabondance de vie. Quelquefois je
400 rougissais subitement, et je sentais couler dans mon cœur
comme des ruisseaux d'une lave ardente ; quelquefois je poussais
des cris involontaires, et la nuit était également troublée de mes
songes et de mes veilles. Il me manquait quelque chose pour
remplir l'abîme de mon existence : je descendais dans la vallée,
405 je m'élevais sur la montagne, appelant de toute la force de mes
désirs l'idéal objet d'une flamme future[2] ; je l'embrassais[3] dans
les vents ; je croyais l'entendre dans les gémissements du fleuve :
tout était ce fantôme imaginaire, et les astres dans les cieux, et
le principe même de vie dans l'univers.

410 « Toutefois cet état de calme et de trouble, d'indigence et de
richesse, n'était pas sans quelques charmes. Un jour je m'étais
amusé à effeuiller une branche de saule sur un ruisseau, et à attacher une idée à chaque feuille que le courant entraînait. Un roi qui
craint de perdre sa couronne par une révolution subite, ne ressent
415 pas des angoisses plus vives que les miennes, à chaque accident qui
menaçait les débris de mon rameau. Ô faiblesse des mortels !
Ô enfance du cœur humain qui ne vieillit jamais ! Voilà donc à
quel degré de puérilité notre superbe[4] raison peut descendre ! Et
encore est-il vrai que bien des hommes attachent leur destinée à
420 des choses d'aussi peu de valeur que mes feuilles de saule.

« Mais comment exprimer cette foule de sensations fugitives

---

1. *Sans parents, sans amis, pour ainsi dire seul sur la terre* : réminiscence probable des *Rêveries du promeneur solitaire* (posthume, 1782) de Rousseau (1712-1778) : « Me voici donc seul sur la terre, n'ayant plus de frère, de prochain, d'ami, de société que moi-même » (début de la première *Promenade*). \ **2.** *L'idéal objet d'une flamme future* : la femme idéale que j'aimerais. \ **3.** *Je l'embrassais* : je la tenais dans mes bras. \ **4.** *Superbe* : orgueilleuse.

que j'éprouvais dans mes promenades ? Les sons que rendent [1] les passions dans le vide d'un cœur solitaire, ressemblent au murmure que les vents et les eaux font entendre dans le silence d'un désert : on en jouit, mais on ne peut les peindre.

« L'automne me surprit au milieu de ces incertitudes : j'entrai avec ravissement dans les mois des tempêtes. Tantôt j'aurais voulu être un de ces guerriers errant au milieu des vents, des nuages et des fantômes [2] ; tantôt j'enviais jusqu'au sort du pâtre [3] que je voyais réchauffer ses mains à l'humble feu de broussailles qu'il avait allumé au coin d'un bois. J'écoutais ses chants mélancoliques, qui me rappelaient que dans tout pays, le chant naturel de l'homme est triste, lors même qu'il exprime le bonheur. Notre cœur est un instrument incomplet, une lyre [4] où il manque des cordes, et où nous sommes forcés de rendre les accents de la joie sur le ton consacré aux soupirs.

« Le jour, je m'égarais sur de grandes bruyères terminées par des forêts. Qu'il fallait peu de choses à ma rêverie ! une feuille séchée que le vent chassait devant moi, une cabane dont la fumée s'élevait dans la cime dépouillée des arbres, la mousse qui tremblait au souffle du nord sur le tronc d'un chêne, une roche écartée, un étang désert où le jonc flétri murmurait ! Le clocher solitaire, s'élevant au loin dans la vallée, a souvent attiré mes regards ; souvent j'ai suivi des yeux les oiseaux de passage qui volaient au-dessus de ma tête. Je me figurais les bords ignorés, les climats lointains où ils se rendent ; j'aurais voulu être sur leurs ailes. Un secret instinct me tourmentait [5] ; je sentais que je n'étais moi-même qu'un voyageur ; mais une voix du ciel semblait me dire : "Homme, la saison de ta migration n'est pas

---

1. *Rendent* : font. \ **2.** *Un de ces guerriers errant au milieu des vents, des nuages et des fantômes* : allusion aux ballades d'Ossian (1760). \ **3.** *Pâtre* : personne qui garde et fait paître le bétail. \ **4.** *Une lyre* : instrument avec lequel s'accompagnaient les poètes dans l'Antiquité ; par extension, symbole de la poésie : le substantif « lyrisme » vient de là. \ **5.** *Me tourmentait* : me mettait à la torture.

450 encore venue ; attends que le vent de la mort se lève, alors tu déploieras ton vol vers ces régions inconnues que ton cœur demande."

« "Levez-vous vite, orages désirés, qui devez emporter René dans les espaces d'une autre vie[1] !" Ainsi disant, je marchais à 455 grands pas, le visage enflammé, le vent sifflant dans ma chevelure[2], ne sentant ni pluie ni frimas[3], enchanté, tourmenté, et comme possédé par le démon de mon cœur.

« La nuit, lorsque l'aquilon[4] ébranlait ma chaumière, que les pluies tombaient en torrent sur mon toit, qu'à travers ma 460 fenêtre je voyais la lune sillonner les nuages amoncelés, comme un pâle vaisseau qui laboure les vagues, il me semblait que la vie redoublait au fond de mon cœur, que j'aurais eu la puissance de créer des mondes. Ah ! si j'avais pu faire partager à une autre les transports[5] que j'éprouvais ! Ô Dieu ! si tu m'avais 465 donné une femme selon mes désirs ; si, comme à notre premier père, tu m'eusses amené par la main une Ève tirée de moimême[6]… Beauté céleste ! je me serais prosterné devant toi ; puis, te prenant dans mes bras, j'aurais prié l'Éternel de te donner le reste de ma vie.

470 « Hélas ! j'étais seul, seul sur la terre ! Une langueur[7] secrète s'emparait de mon corps. Ce dégoût de la vie que j'avais ressenti dès mon enfance revenait avec une force nouvelle. Bientôt mon

---

1. *Levez-vous vite, orages désirés, qui devez emporter René dans les espaces d'une autre vie* : cette phrase, la plus célèbre de *René*, a probablement été inspirée à Chateaubriand par cette exclamation extraite des *Poèmes d'Ossian* : « Levez-vous, ô vents orageux d'Érin [d'Irlande] ; mugissez, ouragans des bruyères ; puissé-je mourir au milieu de la tempête, enlevé dans un nuage par les fantômes irrités des morts ! [...] Levez-vous, vents d'automne, levez-vous, soufflez sur la noire bruyère ! ». \ **2.** *Le vent sifflant dans ma chevelure* : on trouve également dans les *Poèmes d'Ossian* les phrases suivantes : « Les vents de la nuit sifflent dans ta chevelure » et « Ô vents qui soulevez ma noire chevelure, je ne mêlerai pas longtemps mes soupirs à votre sifflement ». \ **3.** *Frimas* : brouillards givrants. \ **4.** *Aquilon* : vent du nord. \ **5.** *Transports* : vives émotions. \ **6.** *Une Ève tirée de moi-même* : allusion au livre de la Genèse (II, 21-23), dans la Bible, où il est dit qu'Ève a été créée par Dieu à partir d'une côte d'Adam. \ **7.** *Langueur* : abattement.

cœur ne fournit plus d'aliment à ma pensée, et je ne m'apercevais de mon existence que par un profond sentiment d'ennui.

475 « Je luttai quelque temps contre mon mal, mais avec indifférence et sans avoir la ferme résolution de le vaincre. Enfin, ne
pouvant trouver de remède à cette étrange blessure de mon
cœur, qui n'était nulle part et qui était partout, je résolus de
quitter la vie.

480 « Prêtre du Très-Haut[1], qui m'entendez, pardonnez à un
malheureux que le ciel avait presque privé de la raison. J'étais
plein de religion, et je raisonnais en impie ; mon cœur aimait
Dieu, et mon esprit le méconnaissait ; ma conduite, mes discours,
mes sentiments, mes pensées, n'étaient que contradiction,
485 ténèbres, mensonges. Mais l'homme sait-il bien toujours ce qu'il
veut, est-il toujours sûr de ce qu'il pense ?

« Tout m'échappait à la fois, l'amitié, le monde, la retraite.
J'avais essayé de tout, et tout m'avait été fatal. Repoussé par la
société, abandonné d'Amélie, quand la solitude vint à me
490 manquer, que me restait-il ? C'était la dernière planche sur
laquelle j'avais espéré me sauver, et je la sentais encore s'en-
foncer dans l'abîme !

« Décidé que j'étais à me débarrasser du poids de la vie, je
résolus de mettre toute ma raison dans cet acte insensé. Rien
495 ne me pressait : je ne fixai point le moment du départ, afin de
savourer à longs traits les derniers moments de l'existence, et
de recueillir toutes mes forces, à l'exemple d'un ancien, pour
sentir mon âme s'échapper[2].

« Cependant je crus nécessaire de prendre des arrangements[3]

---

1. *Prêtre du Très-Haut* : prêtre de Dieu ; l'apostrophe s'adresse au père Souël qui, comme Chactas, écoute René. \ **2.** *Recueillir toutes mes forces, à l'exemple d'un ancien, pour sentir mon âme s'échapper* : allusion au sénateur Canus Julius, qui fut condamné à mort par l'empereur Caligula,
rapportés par Sénèque (Ier siècle après J.-C.) dans *De la tranquillité de l'âme* (XIV, 9). Ce patri-
cien voulait observer, à l'instant éphémère de son exécution, s'il sentirait son âme s'en aller.
On retrouve l'anecdote dans les *Essais* (II, 6) de Montaigne (1533-1592). \ **3.** *Prendre des arrangements* : faire mon testament.

500 concernant ma fortune, et je fus obligé d'écrire à Amélie. Il m'échappa quelques plaintes sur son oubli, et je laissai sans doute percer l'attendrissement qui surmontait peu à peu mon cœur. Je m'imaginais pourtant avoir bien dissimulé mon secret ; mais ma sœur, accoutumée à lire dans les replis de mon âme, le

505 devina sans peine. Elle fut alarmée du ton de contrainte[1] qui régnait dans ma lettre, et de mes questions sur des affaires dont je ne m'étais jamais occupé. Au lieu de me répondre, elle me vint tout à coup surprendre.

« Pour bien sentir quelle dut être dans la suite l'amertume de

510 ma douleur, et quels furent mes premiers transports en revoyant Amélie, il faut vous figurer que c'était la seule personne au monde que j'eusse aimée, que tous mes sentiments se venaient confondre[2] en elle, avec la douceur des souvenirs de mon enfance. Je reçus donc Amélie dans une sorte d'extase de cœur. Il y avait

515 si longtemps que je n'avais trouvé quelqu'un qui m'entendît, et devant qui je pusse ouvrir mon âme !

« Amélie se jetant dans mes bras, me dit : "Ingrat, tu veux mourir, et ta sœur existe ! Tu soupçonnes son cœur ! Ne t'explique point, ne t'excuse point, je sais tout ; j'ai tout compris,

520 comme si j'avais été avec toi. Est-ce moi que l'on trompe, moi, qui ai vu naître tes premiers sentiments ? Voilà ton malheureux caractère, tes dégoûts, tes injustices. Jure, tandis que je te presse sur mon cœur, jure que c'est la dernière fois que tu te livreras à tes folies ; fais le serment de ne jamais attenter à tes

525 jours."

« En prononçant ces mots, Amélie me regardait avec compassion et tendresse, et couvrait mon front de ses baisers ; c'était presque une mère, c'était quelque chose de plus tendre. Hélas !

---

1. *Ton de contrainte* : embarras. \ 2. *Se venaient confondre* : venaient se confondre.

mon cœur se rouvrit à toutes les joies ; comme un enfant, je ne
530 demandais qu'à être consolé ; je cédai à l'empire[1] d'Amélie ; elle
exigea un serment solennel ; je le fis sans hésiter, ne soupçonnant
même pas que désormais je pusse être malheureux.

« Nous fûmes plus d'un mois à nous accoutumer à l'enchantement[2] d'être ensemble. Quand le matin, au lieu de me
535 trouver seul, j'entendais la voix de ma sœur, j'éprouvais un tres-
saillement de joie et de bonheur. Amélie avait reçu de la nature
quelque chose de divin ; son âme avait les mêmes grâces innocentes que son corps ; la douceur de ses sentiments était infinie ;
il n'y avait rien que de suave et d'un peu rêveur dans son esprit ;
540 on eût dit que son cœur, sa pensée et sa voix soupiraient comme
de concert ; elle tenait de la femme la timidité et l'amour, et
de l'ange la pureté et la mélodie[3].

« Le moment était venu où j'allais expier[4] toutes mes inconséquences[5]. Dans mon délire j'avais été jusqu'à désirer d'éprouver
545 un malheur, pour avoir du moins un objet réel de souffrance :
épouvantable souhait que Dieu, dans sa colère, a trop exaucé !

« Que vais-je vous révéler, ô mes amis ! Voyez les pleurs qui
coulent de mes yeux. Puis-je même… Il y a quelques jours,
rien n'aurait pu m'arracher ce secret… À présent tout est fini !

550 « Toutefois, ô vieillards, que cette histoire soit à jamais ense-
velie dans le silence : souvenez-vous qu'elle n'a été racontée que
sous l'arbre du désert.

« L'hiver finissait, lorsque je m'aperçus qu'Amélie perdait le
repos et la santé qu'elle commençait à me rendre. Elle maigris-
555 sait ; ses yeux se creusaient ; sa démarche était languissante, et
sa voix troublée. Un jour, je la surpris tout en larmes au pied
d'un crucifix. Le monde, la solitude, mon absence, ma présence,

---

1. *Empire* : influence. \ 2. *L'enchantement* : le charme magique. \ 3. *La mélodie* : l'harmonie.
\ 4. *Expier* : être puni de. \ 5. *Inconséquences* : actes irréfléchis.

la nuit, le jour, tout l'alarmait. D'involontaires soupirs venaient expirer sur ses lèvres ; tantôt elle soutenait, sans se fatiguer, une 560 longue course ; tantôt elle se traînait à peine ; elle prenait et laissait son ouvrage, ouvrait un livre sans pouvoir lire, commençait une phrase qu'elle n'achevait pas, fondait tout à coup en pleurs, et se retirait pour prier.

« En vain je cherchais à découvrir son secret. Quand je l'in-565 terrogeais, en la pressant dans mes bras, elle me répondait, avec un sourire, qu'elle était comme moi, qu'elle ne savait pas ce qu'elle avait.

« Trois mois se passèrent de la sorte, et son état devenait pire chaque jour. Une correspondance mystérieuse me semblait être 570 la cause de ses larmes, car elle paraissait ou plus tranquille ou plus émue, selon les lettres qu'elle recevait. Enfin, un matin, l'heure à laquelle nous déjeunions ensemble étant passée, je monte à son appartement ; je frappe ; on ne me répond point ; j'entrouvre la porte, il n'y avait personne dans la chambre. 575 J'aperçois sur la cheminée un paquet à mon adresse. Je le saisis en tremblant, je l'ouvre, et je lis cette lettre, que je conserve pour m'ôter à l'avenir tout mouvement de joie.

À René

« "Le Ciel m'est témoin, mon frère, que je donnerais mille 580 fois ma vie pour vous épargner un moment de peine ; mais, infortunée que je suis, je ne puis rien pour votre bonheur. Vous me pardonnerez donc de m'être dérobée [1] de chez vous comme une coupable ; je n'aurais pu résister à vos prières, et cependant il fallait partir… Mon Dieu, ayez pitié de moi !

585 « Vous savez, René, que j'ai toujours eu du penchant pour la vie religieuse ; il est temps que je mette à profit les avertis-

---

1. *De m'être dérobée* : d'être partie.

sements du Ciel. Pourquoi ai-je attendu si tard ! Dieu m'en punit. J'étais restée pour vous dans le monde… Pardonnez, je suis toute troublée par le chagrin que j'ai de vous quitter.

590 « C'est à présent, mon cher frère, que je sens bien la nécessité de ces asiles[1], contre lesquels je vous ai vu souvent vous élever. Il est des malheurs qui nous séparent pour toujours des hommes ; que deviendraient alors de pauvres infortunées !… Je suis persuadée que vous-même, mon frère, vous trouveriez le 595 repos dans ces retraites de la religion : la terre n'offre rien qui soit digne de vous.

« Je ne vous rappellerai point votre serment : je connais la fidélité de votre parole. Vous l'avez juré, vous vivrez pour moi. Y a-t-il rien de plus misérable que de songer sans cesse à 600 quitter la vie ? Pour un homme de votre caractère, il est si aisé de mourir ! Croyez-en votre sœur, il est plus difficile de vivre.

« Mais, mon frère, sortez au plus vite de la solitude, qui ne vous est pas bonne ; cherchez quelque occupation[2]. Je sais que vous riez amèrement de cette nécessité où l'on est en France de 605 *prendre un état*[3]. Ne méprisez pas tant l'expérience et la sagesse de nos pères. Il vaut mieux, mon cher René, ressembler un peu plus au commun des hommes, et avoir un peu moins de malheur.

« Peut-être trouveriez-vous dans le mariage un soulagement 610 à vos ennuis. Une femme, des enfants occuperaient vos jours. Et quelle est la femme qui ne chercherait pas à vous rendre heureux ! L'ardeur de votre âme, la beauté de votre génie, votre air noble et passionné, ce regard fier et tendre, tout vous assu-

---

1. *Asiles* : couvents, monastères. \ **2.** *Cherchez quelque occupation* : réminiscence probable du roman épistolaire *La Nouvelle Héloïse* (1761) de Rousseau (1712-1778) : Milord Édouard écrit à Saint-Preux qui voulait se suicider : « Il faut, pour vous rendre à vous-même, que vous sortiez d'au-dedans de vous, et ce n'est que dans l'agitation d'une vie active que vous pourrez trouver le repos » (III, lettre XXI). \ **3.** *Un état* : une profession.

rerait de son amour et de sa fidélité. Ah ! avec quelles délices
615 ne te presserait-elle pas dans ses bras et sur son cœur ! Comme
tous ses regards, toutes ses pensées seraient attachés sur toi pour
prévenir tes moindres peines ! Elle serait tout amour, toute
innocence devant toi ; tu croirais retrouver une sœur.

« Je pars pour le couvent de… Ce monastère, bâti au bord
620 de la mer, convient à la situation de mon âme. La nuit, du fond
de ma cellule, j'entendrai le murmure des flots qui baignent
les murs du couvent ; je songerai à ces promenades que je faisais
avec vous, au milieu des bois, alors que nous croyions retrouver
le bruit des mers dans la cime agitée des pins. Aimable compa-
625 gnon de mon enfance, est-ce que je ne vous verrai plus ?
À peine plus âgée que vous, je vous balançais dans votre
berceau ; souvent nous avons dormi ensemble. Ah ! si un même
tombeau nous réunissait un jour ! Mais non : je dois dormir
seule sous les marbres glacés de ce sanctuaire où reposent pour
630 jamais ces filles qui n'ont point aimé.

« Je ne sais si vous pourrez lire ces lignes à demi effacées
par mes larmes. Après tout, mon ami, un peu plus tôt, un peu
plus tard, n'aurait-il pas fallu nous quitter ? Qu'ai-je besoin
de vous entretenir de l'incertitude et du peu de valeur de la
635 vie ? Vous vous rappelez le jeune M…[1] qui fit naufrage à
l'Isle-de-France[2]. Quand vous reçûtes sa dernière lettre,
quelques mois après sa mort, sa dépouille terrestre n'existait
même plus, et l'instant où vous commenciez son deuil en
Europe était celui où on le finissait aux Indes. Qu'est-ce donc
640 que l'homme, dont la mémoire[3] périt si vite ? Une partie de

---

1. *M…* : il pourrait s'agir d'Auguste de Montmorin, frère de la maîtresse de Chateaubriand,
Mme de Beaumont, ou d'un des cousins de l'auteur, Pierre du Plessis. \ 2. *Isle-de-France* :
île Maurice, lieu du naufrage du Saint-Géran dans *Paul et Virginie* (1788) de Bernardin de
Saint-Pierre (1737-1814), roman que Chateaubriand appréciait particulièrement. \ 3. *La
mémoire* : le souvenir.

ses amis ne peut apprendre sa mort, que l'autre n'en soit déjà
consolée ! Quoi, cher et trop cher René, mon souvenir s'effa-
cera-t-il si promptement de ton cœur ? Ô mon frère, si je
m'arrache à vous dans le temps, c'est pour n'être pas séparée
645 de vous dans l'éternité.

AMÉLIE.

« P.-S. Je joins ici l'acte de la donation de mes biens ;
j'espère que vous ne refuserez pas cette marque de mon
amitié.”

650   « La foudre qui fût tombée à mes pieds ne m'eût pas causé
plus d'effroi que cette lettre. Quel secret Amélie me cachait-
elle ? Qui la forçait si subitement à embrasser la vie religieuse ?
Ne m'avait-elle rattaché à l'existence par le charme de l'amitié,
que pour me délaisser tout à coup ? Oh ! pourquoi était-elle
655 venue me détourner de mon dessein ! Un mouvement de pitié
l'avait rappelée auprès de moi, mais bientôt fatiguée d'un
pénible devoir, elle se hâte de quitter un malheureux qui
n'avait qu'elle sur la terre. On croit avoir tout fait quand on a
empêché un homme de mourir ! Telles étaient mes plaintes.
660 Puis faisant un retour sur moi-même : "Ingrate Amélie, disais-
je, si tu avais été à ma place, si, comme moi, tu avais été perdue
dans le vide de tes jours, ah ! tu n'aurais pas été abandonnée
de ton frère.”

« Cependant, quand je relisais la lettre, j'y trouvais je ne
665 sais quoi de si triste et de si tendre, que tout mon cœur se
fondait. Tout à coup il me vint une idée qui me donna
quelque espérance : je m'imaginai qu'Amélie avait peut-être
conçu une passion pour un homme qu'elle n'osait avouer. Ce
soupçon sembla m'expliquer sa mélancolie, sa correspon-
670 dance mystérieuse, et le ton passionné qui respirait dans sa
lettre. Je lui écrivis aussitôt pour la supplier de m'ouvrir son
cœur.

« Elle ne tarda pas à me répondre, mais sans me découvrir son secret : elle me mandait[1] seulement qu'elle avait obtenu les dispenses du noviciat[2], et qu'elle allait prononcer ses vœux.

« Je fus révolté de l'obstination d'Amélie, du mystère de ses paroles, et de son peu de confiance en mon amitié.

« Après avoir hésité un moment sur le parti que j'avais à prendre, je résolus d'aller à B... pour faire un dernier effort auprès de ma sœur. La terre où j'avais été élevé se trouvait sur la route. Quand j'aperçus les bois où j'avais passé les seuls moments heureux de ma vie, je ne pus retenir mes larmes, et il me fut impossible de résister à la tentation de leur dire un dernier adieu.

« Mon frère aîné avait vendu l'héritage paternel, et le nouveau propriétaire ne l'habitait pas. J'arrivai au château par la longue avenue de sapins ; je traversai à pied les cours désertes ; je m'arrêtai à regarder les fenêtres fermées ou demi-brisées, le chardon qui croissait au pied des murs, les feuilles qui jonchaient le seuil des portes, et ce perron solitaire où j'avais vu si souvent mon père et ses fidèles serviteurs. Les marches étaient déjà couvertes de mousse ; le violier[3] jaune croissait entre leurs pierres déjointes et tremblantes. Un gardien inconnu m'ouvrit brusquement les portes. J'hésitais à franchir le seuil ; cet homme s'écria : "Eh bien ! allez-vous faire comme cette étrangère qui vint ici il y a quelques jours ? Quand ce fut pour entrer, elle s'évanouit, et je fus obligé de la reporter à sa voiture." Il me fut aisé de reconnaître l'*étrangère* qui, comme moi, était venue chercher dans ces lieux des pleurs et des souvenirs !

« Couvrant un moment mes yeux de mon mouchoir, j'entrai sous le toit de mes ancêtres. Je parcourus les appartements sonores où l'on n'entendait que le bruit de mes pas. Les chambres étaient

---

1. *Me mandait* : m'informait. \ 2. *Du noviciat* : de la période probatoire qu'une future religieuse doit effectuer avant de prononcer ses vœux. \ 3. *Violier* : nom ancien de la giroflée.

à peine éclairées par la faible lumière qui pénétrait entre les volets fermés : je visitai celle où ma mère avait perdu la vie en me mettant au monde, celle où se retirait mon père, celle où j'avais dormi dans
705 mon berceau, celle enfin où l'amitié avait reçu mes premiers vœux dans le sein d'une sœur[1]. Partout les salles étaient détendues[2], et l'araignée filait sa toile dans les couches abandonnées. Je sortis précipitamment de ces lieux, je m'en éloignai à grands pas, sans oser tourner la tête. Qu'ils sont doux, mais qu'ils sont rapides,
710 les moments que les frères et les sœurs passent dans leurs jeunes années, réunis sous l'aile de leurs vieux parents ! La famille de l'homme n'est que d'un jour ; le souffle de Dieu la disperse comme une fumée[3]. À peine le fils connaît-il le père, le père le fils, le frère la sœur, la sœur le frère ! Le chêne voit germer ses glands
715 autour de lui ; il n'en est pas ainsi des enfants des hommes !

« En arrivant à B..., je me fis conduire au couvent ; je demandai à parler à ma sœur. On me dit qu'elle ne recevait personne. Je lui écrivis : elle me répondit que, sur le point de se consacrer à Dieu, il ne lui était pas permis de donner une
720 pensée au monde ; que si je l'aimais, j'éviterais de l'accabler de ma douleur. Elle ajoutait : "Cependant si votre projet est de paraître à l'autel le jour de ma profession, daignez m'y servir de père[4] ; ce rôle est le seul digne de votre courage, le seul qui convienne à notre amitié et à mon repos."

725 « Cette froide fermeté qu'on opposait à l'ardeur de mon amitié me jeta dans de violents transports. Tantôt j'étais près de retourner sur mes pas ; tantôt je voulais rester, uniquement pour troubler le sacrifice. L'enfer me suscitait jusqu'à la pensée

---

1. *Où l'amitié avait reçu mes premiers vœux dans le sein d'une sœur* : où mon amour fraternel pour ma sœur était né. \ **2.** *Détendues* : dénuées de tentures (rideaux et tapisseries). \ **3.** *Le souffle de Dieu la disperse comme une fumée* : allusion au Livre de *Job*, dans la Bible : « L'haleine de Dieu les a fait mourir et le souffle de sa colère les a anéantis » (IV, 9). \ **4.** *Daignez m'y servir de père* : Amélie demande à son frère de remplacer leur père défunt lors de la cérémonie où elle va prononcer ses vœux de religieuse.

de me poignarder dans l'église, et de mêler mes derniers
730 soupirs aux vœux qui m'arrachaient ma sœur. La Supérieure du
couvent me fit prévenir qu'on avait préparé un banc dans le
sanctuaire, et elle m'invitait à me rendre à la cérémonie qui
devait avoir lieu dès le lendemain.

« Au lever de l'aube, j'entendis le premier son des cloches…
735 Vers dix heures, dans une sorte d'agonie, je me traînai au monastère. Rien ne peut plus être tragique quand on a assisté à un pareil
spectacle ; rien ne peut plus être douloureux quand on y a survécu.

« Un peuple immense remplissait l'église. On me conduit au
banc du sanctuaire ; je me précipite à genoux sans presque savoir
740 où j'étais, ni à quoi j'étais résolu. Déjà le prêtre attendait à
l'autel ; tout à coup la grille mystérieuse[1] s'ouvre, et Amélie
s'avance, parée de toutes les pompes du monde[2]. Elle était si
belle, il y avait sur son visage quelque chose de si divin, qu'elle
excita un mouvement de surprise et d'admiration. Vaincu par
745 la glorieuse douleur de la sainte, abattu par les grandeurs de la
religion, tous mes projets de violence s'évanouirent ; ma force
m'abandonna ; je me sentis lié par une main toute-puissante, et
au lieu de blasphèmes[3] et de menaces, je ne trouvai dans mon
cœur que de profondes adorations et les gémissements de l'hu-
750 milité.

« Amélie se place sous un dais[4]. Le sacrifice[5] commence à la
lueur des flambeaux, au milieu des fleurs et des parfums, qui
devaient rendre l'holocauste[6] agréable. À l'offertoire[7], le prêtre

---

1. *La grille mystérieuse* : la grille qui sépare les religieuses des fidèles dans les églises des couvents. \ **2.** *Parée de toutes les pompes du monde* : habillée avec un luxe qui témoigne de son rang. \ **3.** *Blasphèmes* : outrages visant Dieu ou la religion. \ **4.** *Un dais* : une pièce d'étoffe tendue entre des montants verticaux faisant comme un plafond. \ **5.** *Le sacrifice* : la messe au cours de laquelle Amélie va prononcer ses vœux. \ **6.** *L'holocauste* : la consé-cration religieuse ; la future nonne est présentée comme une offrande sacrificielle. Dans l'Ancien Testament, l'holocauste est un sacrifice religieux au cours duquel un animal est entièrement brûlé (étymologiquement, le mot signifie « brûlé en entier »). \ **7.** *L'offer-toire* : la partie de la messe pendant laquelle le prêtre consacre le pain et le vin.

se dépouilla de ses ornements, ne conserva qu'une tunique de lin, monta en chaire, et dans un discours simple et pathétique, peignit le bonheur de la vierge qui se consacre au Seigneur. Quand il prononça ces mots : "Elle a paru comme l'encens qui se consume dans le feu[1]", un grand calme et des odeurs célestes semblèrent se répandre dans l'auditoire ; on se sentit comme à l'abri sous les ailes de la colombe mystique[2], et l'on eût cru voir les anges descendre sur l'autel et remonter vers les cieux avec des parfums et des couronnes.

« Le prêtre achève son discours, reprend ses vêtements, continue le sacrifice. Amélie, soutenue de deux jeunes religieuses, se met à genoux sur la dernière marche de l'autel. On vient alors me chercher, pour remplir les fonctions paternelles. Au bruit de mes pas chancelants dans le sanctuaire, Amélie est prête à défaillir. On me place à côté du prêtre, pour lui présenter les ciseaux. En ce moment je sens renaître mes transports ; ma fureur[3] va éclater, quand Amélie, rappelant son courage, me lance un regard où il y a tant de reproche et de douleur, que j'en suis atterré. La religion triomphe. Ma sœur profite de mon trouble ; elle avance hardiment la tête. Sa superbe chevelure tombe de toutes parts sous le fer sacré[4] ; une longue robe d'étamine[5] remplace pour elle les ornements du siècle, sans la rendre moins touchante ; les ennuis de son front[6] se cachent sous un bandeau de lin ; et le voile mystérieux, double symbole de la virginité et de la religion, accompagne sa tête dépouillée. Jamais elle n'avait paru si belle. L'œil de la pénitente était attaché sur la poussière du monde, et son âme était dans le ciel.

---

1. *Elle a paru comme l'encens qui se consume dans le feu* : allusion à l'*Ecclésiastique,* un des livres de la Bible (L, 9). \ 2. *La colombe mystique* : le Saint-Esprit. \ 3. *Fureur* : frénésie, folie. \ 4. *Le fer sacré* : les ciseaux avec lesquels le prêtre coupe les cheveux de la future religieuse. \ 5. *Étamine* : étoffe mince et légère. \ 6. *Les ennuis de son front* : la tonsure qu'on vient de lui faire.

« Cependant Amélie n'avait point encore prononcé ses vœux; et pour mourir au monde[1], il fallait qu'elle passât à travers le tombeau[2]. Ma sœur se couche sur le marbre; on étend sur elle un drap mortuaire; quatre flambeaux en marquent les quatre coins. Le prêtre, l'étole[3] au cou, le livre à la main, commence l'Office des morts; de jeunes vierges le continuent. Ô joies de la religion, que vous êtes grandes, mais que vous êtes terribles! On m'avait contraint de me placer à genoux, près de ce lugubre appareil[4]. Tout à coup un murmure confus sort de dessous le voile sépulcral[5]; je m'incline, et ces paroles épouvantables (que je fus le seul à entendre) viennent frapper mon oreille: "Dieu de miséricorde, fais que je ne me relève jamais de cette couche funèbre, et comble de tes biens un frère qui n'a point partagé ma criminelle passion!"

« À ces mots échappés du cercueil[6], l'affreuse vérité m'éclaire; ma raison s'égare, je me laisse tomber sur le linceul de la mort, je presse ma sœur dans mes bras, je m'écrie: "Chaste épouse de Jésus-Christ[7], reçois mes derniers embrassements à travers les glaces du trépas et les profondeurs de l'éternité, qui te séparent déjà de ton frère!"

« Ce mouvement, ce cri, ces larmes, troublent la cérémonie: le prêtre s'interrompt, les religieuses ferment la grille, la foule s'agite et se presse vers l'autel; on m'emporte sans connaissance. Que je sus peu de gré à ceux qui me rappelèrent au jour[8]! J'appris, en rouvrant les yeux, que le sacrifice était consommé[9], et que ma sœur avait été saisie d'une fièvre ardente. Elle me faisait

---

1. *Mourir au monde*: renoncer à la société des hommes pour entrer en religion. \ **2.** *Passât à travers le tombeau*: connût une mort symbolique, pour signifier son renoncement au monde. \ **3.** *Étole*: bande d'étoffe que le prêtre porte sur son aube. \ **4.** *Appareil*: cérémonial. \ **5.** *Voile sépulcral*: linceul qui recouvre Amélie pour signifier symboliquement qu'elle est « morte au monde ». \ **6.** *Cercueil*: substantif employé pour signifier symboliquement la « mort au monde » d'Amélie. \ **7.** *Chaste épouse de Jésus-Christ*: la cérémonie de prise de voile unit la nouvelle religieuse au Christ dans des noces mystiques. \ **8.** *Qui me rappelèrent au jour*: qui me firent revenir à moi après mon évanouissement. \ **9.** *Le sacrifice était consommé*: la cérémonie était achevée.

prier de ne plus chercher à la voir. Ô misère de ma vie ! une sœur craindre de parler à un frère, et un frère craindre de faire entendre sa voix à une sœur ! Je sortis du monastère comme de ce lieu d'ex-
810 piation où des flammes nous préparent pour la vie céleste, où l'on a tout perdu comme aux enfers, hors l'espérance[1].

« On peut trouver des forces dans son âme contre un malheur personnel ; mais devenir la cause involontaire du malheur d'un autre, cela est tout à fait insupportable. Éclairé sur les maux de
815 ma sœur, je me figurais ce qu'elle avait dû souffrir. Alors s'expli-quèrent pour moi plusieurs choses que je n'avais pu comprendre : ce mélange de joie et de tristesse, qu'Amélie avait fait paraître au moment de mon départ pour mes voyages, le soin qu'elle prit de m'éviter à mon retour, et cependant cette faiblesse[2] qui l'empêcha
820 si longtemps d'entrer dans un monastère ; sans doute la fille malheureuse s'était flattée de guérir ! Ses projets de retraite[3], la dispense du noviciat, la disposition de ses biens en ma faveur, avaient apparemment produit cette correspondance secrète qui servit à me tromper.

825 « Ô mes amis, je sus donc ce que c'était que de verser des larmes pour un mal qui n'était point imaginaire ! Mes passions, si longtemps indéterminées, se précipitèrent sur cette première proie avec fureur. Je trouvai même une sorte de satisfaction inattendue dans la plénitude de mon chagrin, et je m'aperçus,
830 avec un secret mouvement de joie, que la douleur n'est pas une affection qu'on épuise comme le plaisir.

« J'avais voulu quitter la terre avant l'ordre du Tout-Puissant ; c'était un grand crime : Dieu m'avait envoyé Amélie à la fois

---

1. *Ce lieu d'expiation où des flammes nous préparent pour la vie céleste, où l'on a tout perdu comme aux enfers, hors l'espérance* : le purgatoire, lieu où les âmes doivent se purifier avant d'entrer au paradis. Réminiscence probable de *La Divine Comédie* (1306-1321) de Dante, poète italien (1265-1321) : au fronton de la porte des Enfers est écrite la devise : « Abandonnez toute espérance, vous qui entrez ici » (*L'Enfer*, III, 9). \ 2. *Faiblesse* : faiblesse morale. \ 3. *Retraite* : retraite religieuse.

pour me sauver et pour me punir. Ainsi, toute pensée coupable, toute action criminelle entraîne après elle des désordres et des malheurs. Amélie me priait de vivre, et je lui devais bien de ne pas aggraver ses maux. D'ailleurs (chose étrange !) je n'avais plus envie de mourir depuis que j'étais réellement malheureux. Mon chagrin était devenu une occupation qui remplissait tous mes moments : tant mon cœur est naturellement pétri d'ennui et de misère !

« Je pris donc subitement une autre résolution ; je me déterminai à quitter l'Europe, et à passer en Amérique.

« On équipait, dans ce moment même, au port de B... une flotte pour la Louisiane ; je m'arrangeai avec un des capitaines de vaisseau ; je fis savoir mon projet à Amélie, et je m'occupai de mon départ.

« Ma sœur avait touché aux portes de la mort [1] ; mais Dieu, qui lui destinait la première palme des vierges [2], ne voulut pas la rappeler si vite à lui ; son épreuve ici-bas fut prolongée. Descendue une seconde fois dans la pénible carrière de la vie, l'héroïne, courbée sous la croix [3], s'avança courageusement à l'encontre [4] des douleurs, ne voyant plus que le triomphe dans le combat, et dans l'excès des souffrances, l'excès de la gloire.

« La vente du peu de bien qui me restait, et que je cédai à mon frère, les longs préparatifs d'un convoi [5], les vents contraires, me retinrent longtemps dans le port. J'allais chaque matin m'informer des nouvelles d'Amélie, et je revenais toujours avec de nouveaux motifs d'admiration et de larmes.

---

1. *Ma sœur avait touché aux portes de la mort* : réminiscence probable d'un psaume de la Bible : « Ils touchèrent aux portes de la mort » (CVII (CVI), 18). \ **2.** *La première palme des vierges* : la vie éternelle, récompense accordée en raison de la souffrance endurée pendant la vie terrestre. \ **3.** *Croix* : symbole des épreuves d'Amélie. \ **4.** *À l'encontre* : à la rencontre, au-devant. \ **5.** *Un convoi* : une flotte.

« J'errais sans cesse autour du monastère, bâti au bord de la mer. J'apercevais souvent d'une petite fenêtre grillée[1] qui donnait sur une plage déserte, une religieuse assise dans une attitude pensive ; elle rêvait à l'aspect de l'océan où apparais-
865 sait quelque vaisseau, cinglant aux[2] extrémités de la terre. Plusieurs fois, à la clarté de la lune, j'ai revu la même religieuse aux barreaux de la même fenêtre : elle contemplait la mer, éclairée par l'astre de la nuit, et semblait prêter l'oreille au bruit des vagues qui se brisaient tristement sur des grèves solitaires.
870 « Je crois encore entendre la cloche qui, pendant la nuit, appelait les religieuses aux veilles et aux prières[3]. Tandis qu'elle tintait avec lenteur, et que les vierges s'avançaient en silence à l'autel du Tout-Puissant, je courais au monastère : là, seul au pied des murs, j'écoutais dans une sainte extase les derniers
875 sons des cantiques, qui se mêlaient sous les voûtes du temple au faible bruissement des flots.

« Je ne sais comment toutes ces choses qui auraient dû nourrir mes peines, en émoussaient au contraire l'aiguillon[4]. Mes larmes avaient moins d'amertume lorsque je les répandais
880 sur les rochers et parmi les vents. Mon chagrin même, par sa nature extraordinaire[5], portait avec lui quelque remède : on jouit[6] de ce qui n'est pas commun, même quand cette chose est un malheur. J'en conçus presque l'espérance que ma sœur deviendrait à son tour moins misérable.

885 « Une lettre que je reçus d'elle avant mon départ, sembla me confirmer dans ces idées. Amélie se plaignait tendrement de ma douleur, et m'assurait que le temps diminuait la sienne. "Je ne désespère pas de mon bonheur, me disait-elle. L'excès même du sacrifice, à présent que le sacrifice est consommé, sert à me

---

1. *Grillée* : munie d'une grille. \ 2. *Cinglant aux* : naviguant vers les. \ 3. *Aux veilles et aux prières* : aux offices de nuit et aux prières du jour. \ 4. *En émoussaient au contraire l'aiguillon* : en diminuaient au contraire l'intensité. \ 5. *Extraordinaire* : qui est hors de l'usage ordinaire (sens étymologique). \ 6. *Jouit* : tire profit.

890 rendre quelque paix. La simplicité de mes compagnes, la pureté de leurs vœux, la régularité de leur vie, tout répand du baume sur[1] mes jours. Quand j'entends gronder les orages, et que l'oiseau de mer vient battre des ailes à ma fenêtre, moi, pauvre colombe du ciel, je songe au bonheur que j'ai eu de 895 trouver un abri contre la tempête. C'est ici la sainte montagne, le sommet élevé d'où l'on entend les derniers bruits de la terre et les premiers concerts du ciel ; c'est ici que la religion trompe doucement une âme sensible : aux plus violentes amours elle substitue une sorte de chasteté brûlante où l'amante et la vierge 900 sont unies ; elle épure les soupirs ; elle change en une flamme incorruptible une flamme périssable ; elle mêle divinement son calme et son innocence à ce reste de trouble et de volupté d'un cœur qui cherche à se reposer, et d'une vie qui se retire."

« Je ne sais ce que le ciel me réserve, et s'il a voulu m'avertir 905 que les orages accompagneraient partout mes pas. L'ordre était donné pour le départ de la flotte ; déjà plusieurs vaisseaux avaient appareillé au baisser du soleil ; je m'étais arrangé pour passer la dernière nuit à terre, afin d'écrire ma lettre d'adieux à Amélie. Vers minuit, tandis que je m'occupe de ce soin[2], et 910 que je mouille mon papier de mes larmes, le bruit des vents vient frapper mon oreille. J'écoute ; et au milieu de la tempête, je distingue les coups de canon d'alarme[3], mêlés au glas[4] de la cloche monastique[5]. Je vole sur le rivage où tout était désert, et où l'on n'entendait que le rugissement des flots. Je m'assieds 915 sur un rocher. D'un côté s'étendent les vagues étincelantes, de l'autre les murs sombres du monastère se perdent confusément dans les cieux. Une petite lumière paraissait à la fenêtre grillée[6]. Était-ce toi, ô mon Amélie, qui, prosternée au pied du

---

1. *Répand du baume sur* : rend plus agréables. \ **2.** *Ce soin* : cette tâche. \ **3.** *Canon d'alarme* : signal indiquant une mer dangereuse. \ **4.** *Au glas* : à la sonnerie des cloches signalant un décès ou un danger grave. \ **5.** *Cloche monastique* : cloche du couvent. \ **6.** *Grillée* : munie d'une grille.

crucifix, priais le Dieu des orages d'épargner ton malheureux
920 frère! La tempête sur les flots, le calme dans ta retraite; des
hommes brisés sur des écueils, au pied de l'asile que rien ne
peut troubler; l'infini de l'autre côté du mur d'une cellule; les
fanaux[1] agités des vaisseaux, le phare immobile du couvent;
l'incertitude des destinées du navigateur, la vestale[2] connais-
925 sant dans un seul jour tous les jours futurs de sa vie; d'une autre
part, une âme telle que la tienne, ô Amélie, orageuse comme
l'océan; un naufrage plus affreux que celui du marinier: tout
ce tableau est encore profondément gravé dans ma mémoire.
Soleil de ce ciel nouveau, maintenant témoin de mes larmes,
930 écho du rivage américain qui répétez les accents de René, ce fut
le lendemain de cette nuit terrible qu'appuyé sur le gaillard[3]
de mon vaisseau, je vis s'éloigner pour jamais ma terre natale!
Je contemplai longtemps sur la côte les derniers balancements
des arbres de la patrie, et les faîtes[4] du monastère qui s'abais-
935 saient à l'horizon. »

Comme René achevait de raconter son histoire, il tira un
papier de son sein[5], et le donna au père Souël; puis, se jetant
dans les bras de Chactas, et étouffant ses sanglots, il laissa le
temps au missionnaire de parcourir la lettre qu'il venait de lui
940 remettre.
Elle était de la Supérieure de... Elle contenait le récit des
derniers moments de la sœur Amélie de la Miséricorde[6], morte
victime de son zèle et de sa charité, en soignant ses compagnes
attaquées d'une maladie contagieuse. Toute la communauté

---

1. *Fanaux*: lanternes des navires. \ 2. *Vestale*: prêtresse vierge de l'Antiquité romaine char-
gée d'entretenir le feu sacré dans le temple de Vesta; le terme désigne ici une jeune vierge
entrée en religion. \ 3. *Le gaillard*: la partie du pont supérieur située à l'avant ou à l'arrière
d'un navire. \ 4. *Faîtes*: toits. \ 5. *De son sein*: d'une poche intérieure de son habit, contre
sa poitrine. \ 6. *Sœur Amélie de la Miséricorde*: nom qui a été donné à Amélie lorsqu'elle est
devenue religieuse.

945 était inconsolable, et l'on y regardait Amélie comme une sainte. La Supérieure ajoutait que depuis trente ans qu'elle était à la tête de la maison, elle n'avait jamais vu de religieuse d'une humeur aussi douce et aussi égale, ni qui fût plus contente d'avoir quitté les tribulations [1] du monde.

950 Chactas pressait René dans ses bras ; le vieillard pleurait. « Mon enfant, dit-il à son fils, je voudrais que le père Aubry [2] fût ici ; il tirait du fond de son cœur je ne sais quelle paix qui, en les calmant, ne semblait cependant point étrangère aux tempêtes ; c'était la lune dans une nuit orageuse ; les nuages 955 errants ne peuvent l'emporter dans leur course ; pure et inaltérable, elle s'avance tranquille au-dessus d'eux. Hélas, pour moi, tout me trouble et m'entraîne ! »

Jusqu'alors le père Souël, sans proférer une parole, avait écouté d'un air austère l'histoire de René. Il portait en secret 960 un cœur compatissant, mais il montrait au dehors un caractère inflexible ; la sensibilité du Sachem le fit sortir du silence :

« Rien, dit-il au frère d'Amélie, rien ne mérite, dans cette histoire, la pitié qu'on vous montre ici. Je vois un jeune homme entêté de chimères [3], à qui tout déplaît, et qui s'est 965 soustrait aux charges de la société pour se livrer à d'inutiles rêveries. On n'est point, monsieur, un homme supérieur parce qu'on aperçoit le monde sous un jour odieux [4]. On ne hait les hommes et la vie, que faute de voir assez loin. Étendez un peu plus votre regard, et vous serez bientôt convaincu que tous ces 970 maux dont vous vous plaignez sont de purs néants. Mais quelle honte de ne pouvoir songer au seul malheur réel de votre vie, sans être forcé de rougir ! Toute la pureté, toute la vertu, toute

---

1. *Tribulations* : tourments moraux. \ **2.** *Le père Aubry* : missionnaire jésuite qui évangélise les Indiens dans *Atala*. Ce récit montre qu'ayant lui-même connu les « troubles du cœur » – les passions –, le père Aubry est mieux à même de les comprendre. \ **3.** *Entêté de chimères* : à l'esprit empli d'illusions. \ **4.** *Parce qu'on aperçoit le monde sous un jour odieux* : parce que tout paraît mauvais dans le monde.

la religion, toutes les couronnes d'une sainte rendent à peine
tolérable la seule idée de vos chagrins. Votre sœur a expié sa
975 faute; mais, s'il faut ici dire ma pensée, je crains que, par une
épouvantable[1] justice, un aveu sorti du sein de la tombe n'ait
troublé votre âme à son tour. Que faites-vous seul au fond des
forêts où vous consumez vos jours[2], négligeant tous vos
devoirs? Des saints, me direz-vous, se sont ensevelis dans les
980 déserts? Ils y étaient avec leurs larmes, et employaient à
éteindre leurs passions le temps que vous perdez peut-être
à allumer les vôtres. Jeune présomptueux qui avez cru que
l'homme se peut suffire à lui-même! La solitude est mauvaise
à celui qui n'y vit pas avec Dieu; elle redouble les puissances
985 de l'âme, en même temps qu'elle leur ôte tout sujet pour
s'exercer. Quiconque a reçu des forces doit les consacrer au
service de ses semblables; s'il les laisse inutiles, il en est d'abord
puni par une secrète misère[3], et tôt ou tard le ciel lui envoie
un châtiment effroyable. »

990 Troublé par ces paroles, René releva du sein de Chactas sa
tête humiliée. Le Sachem aveugle se prit à sourire; et ce sourire
de la bouche, qui ne se mariait[4] plus à celui des yeux, avait
quelque chose de mystérieux et de céleste. «Mon fils, dit le
vieil amant d'Atala, il nous parle sévèrement; il corrige et le
995 vieillard et le jeune homme, et il a raison. Oui, il faut que tu
renonces à cette vie extraordinaire qui n'est pleine que de
soucis; il n'y a de bonheur que dans les voies communes.

«Un jour le Meschacebé[5], encore assez près de sa source, se
lassa de n'être qu'un limpide ruisseau. Il demande des neiges
1000 aux montagnes, des eaux aux torrents, des pluies aux tempêtes,
il franchit ses rives, et désole[6] ses bords charmants. L'orgueilleux

---

1. *Épouvantable*: qui provoque l'épouvante. \ 2. *Consumez vos jours*: perdez votre temps.
\ 3. *Une secrète misère*: des tourments intérieurs. \ 4. *Se mariait*: s'accordait. \ 5. *Meschacebé*:
nom utilisé par certaines tribus indiennes pour désigner le fleuve Mississipi. \ 6. *Désole*:
dévaste.

ruisseau s'applaudit d'abord de sa puissance ; mais voyant que tout devenait désert sur son passage ; qu'il coulait, abandonné dans la solitude ; que ses eaux étaient toujours troublées, il regretta l'humble lit que lui avait creusé la nature, les oiseaux, les fleurs, les arbres et les ruisseaux, jadis modestes compagnons de son paisible cours. »

Chactas cessa de parler, et l'on entendit la voix du *flamant* qui, retiré dans les roseaux du Meschacebé, annonçait un orage pour le milieu du jour. Les trois amis reprirent la route de leurs cabanes : René marchait en silence entre le missionnaire qui priait Dieu, et le Sachem aveugle qui cherchait sa route. On dit que, pressé par les deux vieillards, il retourna chez son épouse, mais sans y trouver le bonheur. Il périt peu de temps après avec Chactas et le père Souël, dans le massacre des Français et des Natchez à la Louisiane. On montre encore un rocher où il allait s'asseoir au soleil couchant.

Caspar David Friedrich (1774-1840),
Le Promeneur au-dessus de la mer de nuages (vers 1818),
huile sur toile, 74 × 94 cm, Hambourg, Kunsthalle, ph © Akg-images.

DOSSIER

LIRE L'ŒUVRE

54 Questionnaire de lecture
Le titre et le genre de l'œuvre
La préface
L'énonciation
Le récit
Les personnages
Le cadre spatio-temporel
Le romantisme

L'ŒUVRE DANS L'HISTOIRE

56 Le contexte historique
Le contexte de l'écriture
  et de la publication de *René*
Le contexte de l'histoire de *René*

**60 Le contexte culturel :
les débuts du romantisme**
Le mot et ce qu'il représente
Petit historique des débuts
  du romantisme français
Quelques thèmes romantiques

65 Le contexte biographique
Jeunesse bretonne et exils
La gloire littéraire
L'homme politique
Le mémorialiste

67 La réception de *René*
La publication de *René* : un succès
  éclatant
La postérité de *René*

**69 Groupement de textes :
le « mal du siècle »**

L'ŒUVRE DANS UN GENRE

73 *René* : un genre ambigu
René dans *Les Natchez* : un roman ?
René dans *Le Génie du christianisme* :
  un apologue chrétien ?
René comme œuvre autonome

76 *René* comme roman
Le roman, un genre encore décrié
Une énonciation romanesque
  particulière
Les lieux et les temps romanesques
Les références au genre épistolaire
Un roman sans événements ?

81 *René* comme apologue
Un apologue au service de la religion
  chrétienne
Les dangers de l'apologue

**83 *René* comme autobiographie
déguisée ?**
Roman autobiographique,
  roman du moi, roman du je
René et François René,
  Amélie et Lucile
René : une fiction littéraire

**86 Groupement de textes :
un roman romantique**

VERS L'ÉPREUVE

88 L'argumentation dans *René*
La préface de 1805
Le discours du père Souël
L'apologue ambigu de Chactas

**92 Groupements de textes :
jugements critiques**

94 Sujets
Invention et argumentation
Commentaires
Dissertations

LIRE L'ŒUVRE

QUESTIONNAIRE DE LECTURE

LE TITRE ET LE GENRE DE L'ŒUVRE

1. Pourquoi, à votre avis, Chateaubriand a-t-il choisi le titre *René* ?

2. À quoi le lecteur s'attend-il avec un tel titre ?

3. Quel est, selon vous, le genre de l'œuvre ? Justifiez précisément votre réponse.

LA PRÉFACE

4. Comment Chateaubriand a-t-il composé la préface de l'édition de 1805 (celle qui est contenue dans ce livre) ? Pourquoi ?

5. Dans la perspective de l'auteur, à quoi cette préface sert-elle ?

6. Selon la préface, quel rôle l'auteur donne-t-il à *René* en matière de religion ?

L'ÉNONCIATION

7. D'après vous, pourquoi Chateaubriand a-t-il choisi de faire raconter à René sa propre histoire en utilisant la première personne du singulier ?

8. Quels sont les auditeurs de l'histoire de René et quelle est leur importance ?

■ Pour répondre

Vous vous demanderez pourquoi Chateaubriand a jugé bon d'attribuer des auditeurs au héros, au lieu de nous livrer directement l'histoire de René à la façon d'une confession couchée sur le papier.

LE RÉCIT

9. Selon René lui-même, sa vie constitue un curieux récit car elle est dénuée d'événements. Êtes-vous d'accord avec cette affirmation ?

10. Quel est le rôle de la religion dans ce récit ?

11. Un des thèmes principaux du récit est l'inceste ; vous indiquerez comment Chateaubriand a évité de heurter ses lecteurs avec ce thème choquant.

12. À plusieurs reprises, Chateaubriand insère ou résume une lettre dans le récit ; quel est l'intérêt de ces procédés ?

LES PERSONNAGES

13. Comment Chateaubriand caractérise-t-il, dans sa préface, l'état d'âme particulier qu'il donne à son héros ?

14. En quoi René est-il un héros romantique ?

15. En quoi René ressemble-t-il à l'auteur ?

LE CADRE SPATIO-TEMPOREL

16. Dans quels lieux le récit se passe-t-il ? Quel sens donnez-vous à ces choix narratifs ?

■ Pour répondre
Vous veillerez à prendre en compte non seulement l'histoire de René, mais aussi le début et la fin du récit.

17. Peut-on dire à quelle époque se passe le récit ? Quels sont les marques de temps présentes dans *René* ?

LE ROMANTISME

18. Le romantisme se caractérise entre autres par une utilisation littéraire spécifique de la nature ; vous direz laquelle, et vous étudierez son traitement dans *René*.

19. En dehors du traitement de la nature, cherchez d'autres caractéristiques qui font que ce texte peut être considéré comme romantique.

■ Pour répondre
Vous pourrez vous interroger, entre autres, sur le lyrisme, le caractère poétique de la prose, l'évocation de la solitude du héros et de ses états d'âme, le thème de la malédiction qui semble le poursuivre.

L'ŒUVRE DANS L'HISTOIRE

LE CONTEXTE HISTORIQUE

LE CONTEXTE DE L'ÉCRITURE ET DE LA PUBLICATION DE *RENÉ*

Chateaubriand écrit *René* à Londres, dans les dernières années du XVIIIe siècle. Que fait-il à Londres ? Il y a émigré, car il est contre-révolutionnaire et royaliste. Après avoir brièvement combattu le régime révolutionnaire en 1792, il s'est exilé en Grande-Bretagne de 1793 à 1800.

Le début de l'émigration

L'émigration commence dès juillet 1789. On appelle ainsi la fuite à l'étranger du parti aristocratique, qui ne veut pas se montrer solidaire d'une monarchie disposée à faire trop de concessions. On considère que l'émigration débute avec les départs du comte d'Artois, frère de Louis XVI et futur Charles X, avec sa famille et sa suite, pour les Pays-Bas ; du prince de Condé et de sa famille pour le même pays ; du duc et de la duchesse de Polignac pour la Suisse ; du maréchal de Broglie pour le Luxembourg. L'aristocratie refusait de reconnaître la nouvelle organisation politique de la France. La nuit du 4 août 1789 l'avait lésée de ses privilèges.

Beaucoup de nobles s'exilent, principalement à Coblence, Mayence et Worms en Allemagne, Turin en Italie, et Londres. Dans ces lieux, ils s'arment, et le comte d'Artois, à Turin, tente de décider les monarchies européennes à intervenir militairement en France. Des politiques de compromis avec l'aristocratie sont tentées, comme celle de La Fayette, mais les aristocrates se montrent inflexibles. Tout mène à un conflit.

Un conflit en préparation

À l'étranger, les monarchies craignent la propagation des idées révolutionnaires. Les étrangers se rendent nombreux à Paris pour y voir les progrès de la liberté. En Allemagne et en Angleterre, en particulier, les idées des Lumières ont depuis longtemps éclos ; on s'y passionne pour leur application politique et sociale en France. Mais l'aristocratie de ces pays, d'abord curieuse et intéressée, se méfie rapidement, sous l'impulsion des émigrés, du nouveau tour que prend le régime français après l'abolition des privilèges.

Les monarques étrangers sont divisés quant à l'opportunité d'une intervention en France. Chacun regarde ses propres intérêts, et l'Assemblée constituante prône une politique de paix. Même après la fuite du roi et son arrestation à Varennes le 21 juin 1791, l'empereur d'Allemagne Léopold II – pourtant frère de Marie-Antoinette – conserve une attitude très prudente. À la fin de 1791 et au début de 1792, les émigrés se font de plus en plus menaçants. En face, des décrets de l'Assemblée somment les émigrés de rentrer en France sous peine d'être considérés comme des conspirateurs.

La guerre déclarée par la France

Louis XVI souhaitait la guerre qui, pensait-il, pouvait seule sauver la monarchie. Elle est déclarée à l'Autriche le 20 avril 1792. La moitié des officiers a émigré ; le haut commandement n'est pas favorable aux idées révolutionnaires : les échecs ne tardent pas.

Début juillet 1792, l'armée prussienne et l'armée des émigrés, dont Chateaubriand fait partie, entrent dans le conflit. La patrie est déclarée en danger. Le patriotisme s'exacerbe, et le 10 août c'est l'insurrection populaire contre une monarchie coupable de trahison. Le roi et sa famille sont arrêtés et emprisonnés au Temple. La bataille de Valmy, le 20 septembre, va permettre à la France d'éviter l'invasion. Le lendemain, la royauté est abolie par la Convention et le surlendemain, la République est proclamée.

La Terreur

À la Convention, des dissensions éclatent entre Girondins et Montagnards. À la fin de 1792, elle se lance dans des guerres de conquête qui vont liguer contre la France une coalition impressionnante de puissances étrangères. Le 21 janvier 1793, Louis XVI est exécuté.

La Montagne obtient la majorité à la Convention en juin 1793 au détriment de la Gironde. La mise en place d'une politique dictatoriale de salut public lui permet de remporter des succès. Au début de 1794, la Convention se déchire et Robespierre instaure la « Grande Terreur » : trois mois de gouvernement sans opposition.

La Convention thermidorienne et le premier Directoire

Après avoir éliminé les Montagnards, la Convention thermidorienne (juillet 1794-octobre 1795) rétablit certaines libertés, fait des concessions aux chouans[1], mais la crise économique sévit et elle doit faire face à des émeutes de la faim. À l'extérieur, la Convention réussit à faire la paix avec certains pays de la coalition mais la guerre se poursuit contre l'Autriche et l'Angleterre.

Le premier Directoire (octobre 1795-novembre 1799) remporte de vifs succès militaires mais la misère persistante le coupe du peuple. La politique de conquêtes reprend. Bonaparte, par le coup d'État du 18 Brumaire (9 novembre 1799) met fin au Directoire.

C'est pendant ces années que Chateaubriand écrit *René*. Même s'il réside en Angleterre, il suit de près les événements de France, et le contexte politique troublé doit lui faire encore plus haïr cette Révolution d'où découlent, d'après lui, tous les maux français.

Le Consulat

Les débuts du Consulat apportent aux Français la paix à laquelle ils aspirent. Bonaparte consolide son pouvoir, tout en pérennisant les acquis révolutionnaires, principalement en direction de la bourgeoisie.

Le Consulat reprend l'économie en main, remet l'administration en état de fonctionnement, garantit la propriété privée, fait cesser les querelles religieuses.

À l'extérieur, la paix règne jusqu'en 1803, puis la guerre reprend. Ce contexte, associé à de nombreux complots, permet à un pouvoir autoritaire de voir le jour : Bonaparte se fait proclamer empereur en juin 1804.

---

1. *Chouans* : contre-révolutionnaires de l'ouest de la France.

LE CONTEXTE DE L'HISTOIRE DE *RENÉ*

René ne se déroule pas dans le contexte troublé de la révolution française et de ses suites, mais à l'époque qui, selon Chateaubriand, explique pourquoi ces événements survinrent : le siècle des Lumières, et plus particulièrement la Régence (1715-1723) de Philippe d'Orléans.

La Régence

À la mort de Louis XIV, le futur Louis XV étant trop jeune pour régner, c'est Philippe d'Orléans, le neveu de Louis XIV, qui assura la Régence, de 1715 à 1723. Ce fut une période de stabilité politique et de prospérité économique. À l'extérieur, la paix régnait après les incessants conflits de Louis XIV et leur cortège de destructions, de pillages et d'impôts.

Les dernières années du règne de Louis XIV avaient été marquées par la dévotion du monarque et par des mœurs de plus en plus sévères. Ensuite, sous l'impulsion du régent, le libertinage et le goût du luxe se développent.

Chateaubriand voyait dans cette époque les ferments de la catastrophe qui allait s'abattre sur la France, la Révolution, non seulement à cause de la dépravation des mœurs, mais aussi parce que ce régime était le terreau sur lequel allaient prospérer les idées des Lumières.

Les Lumières

Comme l'a dit le philosophe allemand Kant, la devise des Lumières pourrait être « ose penser » (*sapere aude*) : chacun s'affirme comme un individu autonome et majeur qui refuse de se voir imposer ses idées par autrui.

Dans cette perspective, la religion chrétienne est critiquée. La direction de conscience[1] constituait un obstacle à l'autonomie de la pensée. Le culte était perçu comme un ensemble d'actes irrationnels relevant de la magie, comme le fait observer Montesquieu dans les *Lettres persanes* (1721). C'est pourquoi le déisme se développe, puis l'athéisme. Le déisme est une doctrine selon laquelle Dieu existe, mais il n'y a pas lieu de lui rendre un culte. Pour l'athéisme, Dieu n'existe pas. Chateaubriand est convaincu que ce rejet du

---

1. *La direction de conscience* : l'autorité que les prêtres exerçaient sur leurs fidèles en leur conseillant de faire ou de ne pas faire telle ou telle action.

christianisme a causé l'émergence d'individus à l'esprit déréglé comme son personnage René.

Les Lumières, c'est aussi la prise en compte d'autres civilisations. L'Amérique, révélée aux Européens à la fin du XVe siècle, ne commence à être véritablement explorée et colonisée qu'au XVIIIe siècle. *René* reflète aussi ce contexte, puisque le héros raconte sa vie au père Souël mais aussi à l'Indien Chactas.

LE CONTEXTE CULTUREL : LES DÉBUTS DU ROMANTISME

Le romantisme peut être défini comme un mouvement d'idées. Il est apparu dans la plupart des pays d'Europe et, même s'il a connu des variantes locales, son unité est clairement visible.

LE MOT ET CE QU'IL REPRÉSENTE

C'est l'adjectif qui apparut en premier, en anglais *(romantic)* et en allemand *(romantisch)*. Il est formé à partir du mot « roman », emprunté au français. En français, l'adjectif « romantique » sert d'abord à qualifier un paysage et possède un sens proche de « pittoresque ». Ces deux adjectifs sont semblables puisque « romantique », à l'origine, est synonyme de « romanesque » et signifie « comme dans les romans », tandis que « pittoresque » a pour sens « comme dans les peintures ». Rousseau écrira, en 1776, dans *Les Rêveries du promeneur solitaire* : « Les rives du lac de Bienne sont plus sauvages et *romantiques* que celles du lac de Genève, parce que les rochers et les bois y bordent l'eau de plus près » (Cinquième Promenade).

Le sens littéraire du mot apparaît en Allemagne au tout début du XIXe siècle. Goethe l'oppose au mot « classique ». Madame de Staël l'importe en 1813 dans *De l'Allemagne,* où elle parle du « romantisme » de la littérature du Nord, inspirée par le Moyen Âge chevaleresque, par opposition à la littérature du Sud, influencée par l'Antiquité : cela lui permet d'opposer romantisme allemand et classicisme français. Cet ouvrage influença toute une génération.

Le mot « romantisme » – ou, dans sa variante forgée par Stendhal, « romanticisme » – devient le signe de ralliement de ceux qui luttent contre le conservatisme en littérature. Ainsi le romantisme n'est pas une école constituée, mais un courant de pensée qui s'oppose au classicisme du XVIIe siècle et au rationalisme des Lumières. La raison, célébrée aussi bien par les classiques que par les hommes des Lumières, s'efface au profit du sentiment. On apprend le monde non par la raison, mais par la sensibilité. Celle-ci étant aussi individuelle que la raison est universelle, l'expression spécifique de chaque individu – son « génie » – est exaltée.

PETIT HISTORIQUE DES DÉBUTS DU ROMANTISME FRANÇAIS

Dès le milieu du XVIIIe siècle, la sensibilité se fait de plus en plus présente, le rationalisme lasse. L'abbé Prévost, Diderot et Rousseau – pour ne citer que les auteurs les plus célèbres – participent tous à ce renouveau. L'abbé Prévost crée des œuvres où la sensibilité des personnages s'exacerbe, comme dans son roman *Manon Lescaut* (1731). Diderot fait l'« éloge » du romancier anglais Richardson et traduit ses œuvres pleines de sentiments exaltés. Il écrit à Sophie Volland des lettres enflammées qui font l'apologie [1] des passions.

Mais c'est *La Nouvelle Héloïse* de Rousseau qui, en 1761, marque une étape primordiale vers le romantisme. Ce roman épistolaire qui connut un succès retentissant exaltait le sentiment, la nature et l'individualisme. Les passions, que les classiques considéraient comme des maladies à combattre, devenaient bénéfiques ; on les recherchait ; on les louait.

Une phrase, notamment, est remarquable, dans *La Nouvelle Héloïse* : « Que c'est un fatal présent du ciel qu'une âme sensible ! ». Elle condense plusieurs aspects du romantisme en marche : la sensibilité individuelle, mais aussi la malédiction (le personnage de Saint-Preux, qui prononce cette phrase, n'a rien fait pour avoir une telle âme), et le goût pour la tristesse et le malheur (qu'on trouve dans l'oxymore [2] « fatal présent »).

Avec *Paul et Virginie*, Bernardin de Saint-Pierre publiait en 1788 un autre grand roman romantique mettant en scène un amour passionné et tragique dans le cadre d'une nature magnifiquement rendue. Puis vint Chateaubriand,

---

1. *Apologie* : éloge appuyé. \ **2.** *Oxymore* : alliance de mots de sens contraire.

avec *Atala* (1801) et surtout *Le Génie du christianisme* (1802) qui réintro-duisit la religion chrétienne comme source d'inspiration dans la littérature, contre les usages du siècle écoulé. Pour Chateaubriand, la religion chré-tienne était « la plus poétique ». Dans cette œuvre, Chateaubriand critiquait la littérature païenne des classiques, inspirée de l'Antiquité grecque : « la Bible est plus belle qu'Homère », écrivait-il.

QUELQUES THÈMES ROMANTIQUES

Du mal de René au « mal du siècle »

René est le premier personnage littéraire à ressentir ce « mal », mélange de mélancolie, de mal de vivre et d'ennui. Son âme inquiète est pleine de passions, mais ces passions n'ont aucun objet : « Les sons que rendent les passions dans le vide d'un cœur solitaire, ressemblent au murmure que les vents et les eaux font entendre dans le silence d'un désert : on en jouit, mais on ne peut les peindre » (l. 422-425). Toute une génération de jeunes gens se reconnut dans le personnage de René ; la rapidité avec laquelle se répan-dait ce « mal » fut telle qu'on lui adjoignit le complément du nom « du siècle ».

Ce « mal du siècle » provient d'une « discordance » entre le moi et la réalité : l'individu ne semble pas fait pour la réalité qu'il doit vivre ; sa soif d'absolu se heurte au réel. Comme l'écrit Senancour, dans *Oberman* (1804) : « Il y a dans moi un dérangement, une sorte de délire, qui n'est pas celui des passions ; qui n'est pas non plus de la folie : c'est le désordre des ennuis ; c'est la discordance qu'ils ont commencée entre moi et les choses ». Le sentiment d'être incompris, comme René, découle de cette « discordance » avec le réel, de cette inadaptation à son environnement.

Le « mal du siècle », c'est aussi l'incapacité d'agir dans ce monde ; cette incapacité engendre un sentiment de vide auquel la mort semble préfé-rable. Comme l'écrit Benjamin Constant dans *Adolphe* (1816) : « Je découvrais en moi une telle absence d'énergie et je concevais un tel mépris de moi-même, que ce jour-là, très sérieusement, je désespérai de ma vie ». Il ne reste à l'être humain que la rêverie, comme pour René, personnage essentiellement songeur.

Le « mal du siècle » n'est pas non plus exempt de nostalgie, et le projet d'écrire *René* correspond aussi pour Chateaubriand à un désir de revivre les états d'âme de sa jeunesse. Cette nostalgie ne porte pas seulement sur la vie individuelle de l'auteur, mais sur le passé historique de la nation tout entière : Chateaubriand regrette l'époque de la monarchie conquérante et chrétienne ; il fustige la Révolution et la déchéance morale que, d'après lui, elle a provoquée.

Mais René prend plaisir à ces sentiments pourtant négatifs ; il goûte la tristesse, entre « avec ravissement dans les mois des tempêtes » (l. 427).

Le moi et le lyrisme

L'individu enserré dans ces délicieux malheurs est essentiellement égocentrique. Il s'enferme dans les manifestations de ce « mal du siècle » dont la principale caractéristique est de le couper de la réalité. Il va donc parler, surtout, de lui. René se raconte, comme d'autres héros romantiques. La forme privilégiée de l'œuvre littéraire romantique, c'est celle de la confession autobiographique et lyrique. On s'épanche à la première personne ; on dévoile ses malheurs au monde. C'est la forme de *René* ; celle aussi des *Rêveries du promeneur solitaire* et des *Souffrances du jeune Werther,* par exemple.

C'est pourquoi les romantiques parlent souvent du « cœur », organe symbolisant tout à la fois le moi intime et le lyrisme avec lequel ils en parlent. Comme le dit René : « Notre cœur est un instrument incomplet, une lyre où il manque des cordes, et où nous sommes forcés de rendre les accents de la joie sur le ton consacré aux soupirs » (l. 434-436). Le nom « cœur » revient quarante-huit fois dans le court récit de Chateaubriand.

On comprend aussi que le genre de prédilection des romantiques est la poésie ; elle constitue le meilleur moyen littéraire de l'épanchement lyrique.

La nature

La nature des romantiques reflète l'âme humaine. Rousseau décrivait l'harmonie du lac de Bienne dans ses *Rêveries du promeneur solitaire* parce qu'il était à ce moment-là tout à la félicité de sa contemplation. Le sujet contemplant et l'objet contemplé sont dans une relation de douce adéquation.

Chateaubriand décrit la nature dans *René* quand elle est en correspondance avec l'état d'âme de son héros, comme on le voit dans ce passage : « La nuit, lorsque l'aquilon ébranlait ma chaumière, que les pluies tombaient en torrent sur mon toit, qu'à travers ma fenêtre je voyais la lune sillonner les nuages amoncelés […], il me semblait que la vie redoublait au fond de mon cœur » (l. 458-462). Le cœur de René se reflète dans le tumulte des éléments.

Et l'attirance de René pour « les mois des tempêtes » (l. 427) s'explique par l'idée que l'automne reflète sa mélancolie.

Autres lieux, autres temps

Voulant rompre avec le classicisme, les romantiques devaient s'en distinguer aussi par le cadre spatio-temporel où ils situaient leurs œuvres. Ainsi le Moyen Âge prit le pas sur l'Antiquité gréco-latine, et l'Europe du Nord remplaça la Méditerranée : c'était là appliquer les conclusions auxquelles arrivait Madame de Staël dans son essai *De l'Allemagne*. On voit René passer bien plus de temps à explorer les civilisations vivantes qu'il n'en passe auprès des vestiges des « races évanouies » (l. 197).

Cet engouement pour un Nord moyenâgeux repose avant tout sur la supercherie à laquelle s'est livré le poète écossais Macpherson (1736-1796) en publiant dans les années 1760 des poèmes relatant l'épopée du guerrier écossais légendaire Fingal, prétendument écrits par son fils Ossian, puis traduits du gaélique, mais écrits en fait par Macpherson lui-même.

L'influence des poèmes ossianiques se fait sentir dans *René*. Non seulement Ossian est cité (« Maintenant la religion chrétienne […] a placé des croix sur les monuments des héros de Morven, et touché la harpe de David, au bord du même torrent où Ossian fit gémir la sienne », l. 226-230), mais tout l'univers ossianique est sollicité, comme le montre l'image qui domine l'excipit[1] du roman, celle de René assis sur son rocher[2] (l. 1016-1017).

En outre, *René* est situé en Amérique du Nord, contrée qui n'avait encore que timidement fait son entrée en littérature, avec l'abbé Prévost (*Manon Lescaut, Cleveland*) et avec Chateaubriand lui-même (*Atala*), ce qui tranchait nettement avec les habitudes classiques.

---

1. *L'excipit* : la fin. Ce terme désigne le contraire d'*incipit*. \ 2. Dans *Les Natchez* (1826), Chactas meurt de vieillesse ; René est tué par un Indien peu de temps avant le massacre des Français ; le père Souël est assassiné ensuite par les Yazous. Céluta et sa fille échappent au massacre mais l'épouse de René se suicide en se jetant dans les chutes du Niagara.

LE CONTEXTE BIOGRAPHIQUE

JEUNESSE BRETONNE ET EXILS (1768-1799)

François René de Chateaubriand est né à Saint-Malo le 4 septembre 1768, dans une famille d'ancienne noblesse. Son père fait du commerce maritime : cela lui permet en 1761 d'acheter le château de Combourg. François a un frère aîné, à qui seront transmis le titre et le bien du père, selon la coutume de l'époque, et quatre sœurs aînées. Même s'il parle beaucoup de Combourg dans ses œuvres, à commencer par *René*, où le château ressemble au domaine familial des Chateaubriand, François ne l'a connu qu'à huit ans, et n'y a vécu qu'à seize ; il y passe deux années en compagnie de sa sœur Lucile. Ensemble, ils passent leur temps en rêveries et connaissent le « vague des passions ». C'est dans ces deux années que Chateaubriand puise une bonne partie de son inspiration littéraire – notamment celle de *René* – et qu'il forge son propre statut de héros romantique.

En 1791, il s'embarque pour l'Amérique. Chateaubriand s'y rêve explorateur et pionnier ; il y trouve surtout des images qui l'inspireront lorsqu'il écrira son œuvre. Il quitte l'Amérique en décembre et rejoint l'armée des émigrés.

Il épouse une amie de sa sœur Lucile en mars 1792. Il est blessé au siège de Thionville et, malade, il s'embarque pour Jersey puis pour Londres. Il y connaît une profonde misère pendant sept ans. Il publie en Angleterre son premier ouvrage, l'*Essai sur les révolutions*. Il commence à écrire, en 1799, *Le Génie du christianisme* et rentre à Paris en 1800.

LA GLOIRE LITTÉRAIRE (1800-1815)

Son ami le poète Fontanes conseille à Chateaubriand de publier séparément un épisode du *Génie du christianisme* : *Atala* (1801). Le succès éclatant renforce celui du *Génie du christianisme* publié un an plus tard. *René* faisait partie, comme *Atala*, du *Génie du christianisme.* Ils servaient tous deux à illustrer les dégâts que peut faire le « vague des passions ». En 1805, Chateaubriand réunit ces deux récits « édifiants et chrétiens » dans un volume séparé qui connut à son tour un vif succès.

Il est nommé, en juin 1803, attaché à l'ambassade de France à Rome, puis représentant de la France dans le Valais (en Suisse). Après l'assassinat du duc d'Enghien (21 mars 1804), il donne sa démission et devient opposant à l'empereur Napoléon Ier. En novembre 1804, sa sœur bien-aimée Lucile meurt, probablement d'un suicide.

En juillet 1806, il entreprend un voyage qui le mène à Venise, en Grèce, puis en Terre Sainte, avant de revenir par l'Égypte, la Tunisie et l'Espagne. Ce périple lui donne la matière de son *Itinéraire de Paris à Jérusalem* (1811).

Le 20 février 1811, il est élu de justesse à l'Académie française. Jusqu'à la restauration de la monarchie, il travaille à ses mémoires, dont il a conçu l'idée dès 1803. Dans les derniers mois de l'Empire, il publie un pamphlet[1] cinglant : *De Buonaparte et des Bourbons* (1814). Avec la Restauration, selon ses propres mots, la carrière littéraire de Chateaubriand cesse, tandis que sa carrière politique commence.

L'HOMME POLITIQUE (1815-1830)

Chateaubriand suit le roi Louis XVIII en Belgique pendant les Cent-Jours (mars-juin 1815). Mais cette nouvelle preuve de loyauté ne lui permet pas d'accéder aux plus hauts postes. Chateaubriand se radicalise et devient alors « ultra », c'est-à-dire ultraroyaliste.

Louis XVIII préfère se concilier Chateaubriand et lui offre l'ambassade de France à Berlin, en janvier 1821, puis à Londres, en avril 1822. En décembre, devenu ministre des Affaires étrangères, il entreprend « sa » guerre d'Espagne pour y rétablir la monarchie ; il se rêve premier ministre, mais est brutalement destitué en juin 1824.

Après le décès de Louis XVIII, en 1824, le nouveau roi, Charles X, a les mêmes préventions contre Chateaubriand et ne lui offre que l'ambassade à Rome, que l'écrivain accepte en 1828. Il démissionne en 1829. Royaliste légitimiste, il renonce à ses charges et pensions après les journées de juillet 1830 qui portent Louis-Philippe au pouvoir comme « roi des Français », lui dont le père avait voté la mort du roi Louis XVI. Il devient un farouche opposant au régime.

---

1. *Pamphlet* : écrit violemment critique.

On ne peut que constater que Chateaubriand était avant tout un homme d'action, aux idées claires et précises et à la détermination ferme, et, en cela, le contraire de René.

Pendant cette période, Chateaubriand écrit surtout des textes politiques. Il publie cependant ses *Œuvres complètes*, de 1826 à 1831, dans lesquelles il insère *Les Natchez*, épopée de jeunesse demeurée inédite. Mais il va surtout, dorénavant, se consacrer à l'écriture de ses mémoires.

LE MÉMORIALISTE (1830-1848)

S'il a conçu l'idée de ses mémoires en 1803, s'il les a commencés en 1809, il en a trouvé le titre, *Mémoires d'outre-tombe*, en 1832 seulement. Il les considère alors comme son œuvre capitale ; ce sera, écrit-il, « l'épopée de [s]on temps ». Chateaubriand achève cette œuvre en 1841. En 1844, il publie une *Vie de Rancé*, biographie du réformateur de l'ordre monastique de La Trappe.

Ses dernières années sont marquées par la maladie. En 1843, puis en 1845, il entreprend deux ultimes voyages, à Londres, puis à Venise. La révolution de 1848 provoqua, le 24 février, l'abdication de Louis-Philippe et la proclamation de la République. Le 4 juillet, Chateaubriand mourait.

LA RÉCEPTION DE *RENÉ*

LA PUBLICATION DE *RENÉ* : UN SUCCÈS ÉCLATANT

René parut pour la première fois inséré, comme *Atala*, dans *Le Génie du christianisme*, en 1802. L'accueil de cette œuvre fut extrêmement élogieux, et l'on y remarqua surtout *Atala*, préalablement détaché et publié par Chateaubriand sur les conseils de son ami Fontanes.

Il y eut cependant quelques voix discordantes dans le concert de louanges adressées au *Génie du christianisme*, à *Atala* et à *René*. D'un côté, les adeptes des Lumières trouvaient à redire à cette apologie de la religion chrétienne. De l'autre, certains catholiques trouvaient que leur religion était peinte de bien curieuse manière, et ils ne se reconnaissaient pas dans cette exaltation romantique du catholicisme. C'est pourquoi Chateaubriand jugea bon de publier dès 1803 sa *Défense du Génie du christianisme*.

Néanmoins la vague de succès de *René* atteignit des dimensions gigantesques. La plupart des écrivains romantiques furent bouleversés à la lecture de ce récit. Lamartine écrivit : « Jamais je n'ai pu le lire sans pleurer » ; George Sand se dit « singulièrement affectée » par cette lecture. Comme le note Théophile Gautier dans son *Histoire du romantisme*, Chateaubriand a « inventé la mélancolie et la passion moderne » ; Baudelaire écrit lui aussi que « la grande école de la mélancolie » – d'où est issu son propre *spleen* – a été « créée par Chateaubriand ».

Pourtant, dans ses *Mémoires d'outre-tombe*, Chateaubriand n'a pas de mots assez forts pour critiquer et même désavouer son récit : « Si *René* n'existait pas, je ne l'écrirais plus ; s'il m'était possible de le détruire, je le détruirais ». C'est qu'il se rendait compte alors des dégâts que pouvait faire un tel récit sur la psychologie des jeunes gens de son époque qui, voulant s'identifier au héros, se laissaient aller à des rêveries vagues, à une mélancolie langoureuse qui les vouaient à l'inaction, voire à la neurasthénie[1] et au suicide.

LA POSTÉRITÉ DE *RENÉ*

Lorsque le romantisme fut passé de mode et que la vogue littéraire se porta vers le réalisme puis le naturalisme, les critiques se firent négatives. Comme l'écrit Taine, dans ses *Essais de critique et d'histoire* (1858), *René* fait partie de ces œuvres qui « ne sont plus aujourd'hui que des documents d'histoire » ; elles ont « paru sublimes au début de la révolution littéraire dont nous voyons aujourd'hui la fin », mais « de la distance où nous sommes, nous démêlons sans peine l'emphase et l'affectation que les contemporains ne voyaient pas ». Taine appelle de ses vœux des héros « plus positifs » : « Nous demandons qu'on nous montre des personnages moins rêveurs, moins chimériques, exempts des imaginations humanitaires, moins occupés à lever de grands bras vers l'absolu, plus prompts à comprendre le monde et à se comprendre eux-mêmes ; bref, plus positifs et plus critiques. »

Anatole France, dans sa préface à *René* et *Atala*, évoque en 1879 des « chefs-d'œuvre d'une école qui brilla autrefois et qui maintenant est morte ». Pierre Louÿs, en 1888, parle dans son journal de sa déception à la lecture de *René* : « C'est insupportable ; pour goûter le fond, je suis obligé de traduire toutes les phrases. Chaque mot est devenu grotesque aujourd'hui. »

---

1. *Neurasthénie* : profond abattement, état dépressif.

C'est que les *Mémoires d'outre-tombe* avaient pris la place autrefois occupée par *René*, *Atala* et *Le Génie du christianisme* tout entier. Comme l'écrivait Albert Thibaudet dans son *Histoire de la littérature française de 1789 à nos jours* publiée en 1936 : « Pendant un demi-siècle, *René* dégagea une fièvre poétique extraordinaire, qui tomba peu à peu après la mort de Chateaubriand, mais surtout parce qu'il était relayé et remplacé par les *Mémoires*. »

Pourtant, en 1962, Fernand Letessier insiste, dans l'introduction de son édition de *René* et d'*Atala*, sur la beauté du texte de *René* : « dans sa simplicité magnifique et avec une discrétion digne des classiques pour traduire tout ce que le sujet comporte d'audacieux, l'ensemble garde d'une façon soutenue l'harmonie d'un chant désespéré. »

Dans la seconde moitié du xxᵉ siècle, *René* est ramené à la lumière par l'institution scolaire, et des générations de lycéens ont lu et commenté le passage où René appelle de ses vœux la tempête : « Levez-vous vite, orages désirés » (l. 453). Le célèbre manuel de littérature pour les classes de lycée publié en 1969 par André Lagarde et Laurent Michard cite ce texte, en faisant une large place à *Atala*, *René* et au *Génie du christianisme* qui occupent vingt-six pages en tout, contre quinze seulement pour les *Mémoires d'outre-tombe*.

La lecture scolaire de *René* sera notamment critiquée par Jean-François Deljurie dans son article intitulé « *René* à travers les manuels, ou le discours d'escorte » et par Pierre Barbéris dans son ouvrage *René de Chateaubriand, un nouveau roman* (1973). Cet auteur reproche à l'institution scolaire le traitement réducteur qu'elle a, selon lui, infligé au récit.

GROUPEMENT DE TEXTES : LE « MAL DU SIÈCLE »

Lisez l'ensemble des textes du groupement, puis répondez aux questions suivantes.

1. Donnez le genre et le registre de chacun de ces textes.

2. Dégagez les manifestations communes du malaise dont souffrent les personnes réelles ou les personnages fictifs présentés dans les textes.

3. Discernez ensuite les manifestations de ce malaise qui sont particulières à chaque personne réelle ou à chaque personnage fictif présenté dans les textes.

4. Parmi ces textes, lesquels indiquent des causes à ce malaise ? Quelles sont ces causes ?

5. Voyez-vous un lien entre ce malaise et la création littéraire ou, plus généralement, la création artistique ?

TEXTE 1 • Madame de Staël, *De la littérature considérée dans ses rapports avec les institutions sociales* (1800)

Dans cet ouvrage, Madame de Staël étudie l'influence des institutions sociales (lois, religion, mœurs, institutions…) sur la littérature. Dans le chapitre XI intitulé « De la littérature du Nord », elle établit une distinction entre la poésie du Nord, qui serait influencée par les poèmes d'Ossian[1], et celle du Midi, marquée par Homère, en montrant une préférence pour la première, à l'origine, pour elle, de la littérature « moderne », c'est-à-dire romantique.

Ce que l'homme a fait de plus grand, il le doit au sentiment douloureux de l'incomplet de sa destinée[2]. Les esprits médiocres sont, en général, assez satisfaits de la vie commune ; ils arrondissent, pour ainsi dire, leur existence, et suppléent à[3] ce qui peut leur manquer
5 encore, par les illusions de la vanité ; mais le sublime de l'esprit, des sentiments et des actions doit son essor au besoin d'échapper aux bornes qui circonscrivent l'imagination[4]. L'héroïsme de la morale, l'enthousiasme de l'éloquence, l'ambition de la gloire, donnent des jouissances[5] surnaturelles qui ne sont nécessaires
10 qu'aux âmes à la fois exaltées et mélancoliques, fatiguées de tout ce qui se mesure, de tout ce qui est passager, d'un terme[6] enfin, à quelque distance qu'on le place. C'est cette disposition de l'âme, source de toutes les passions généreuses, comme de toutes les idées philosophiques, qu'inspire particulièrement la poésie du Nord[7].

---

1. *Poèmes d'Ossian* : poèmes qui furent publiés en 1760 par James Macpherson (1736-1796), qui fit croire qu'ils avaient été écrits par Ossian lui-même, un barde écossais du IIIᵉ siècle. Madame de Staël les croit authentiques et leur suppose une influence qui est en fait impossible. \ **2.** *Au sentiment douloureux de l'incomplet de sa destinée* : au sentiment douloureux que sa destinée est incomplète. \ **3.** *Suppléent à* : remplacent. \ **4.** *Doit son essor au besoin d'échapper aux bornes qui circonscrivent l'imagination* : ne peut prendre son essor que s'il échappe aux limites imposées à l'imagination. \ **5.** *Jouissances* : joies. \ **6.** *Un terme* : une fin. \ **7.** *Du Nord* : des pays nordiques.

TEXTE 2 • Étienne de Senancour, *Oberman* (1804)

Sous la forme d'un recueil de lettres, cette œuvre relève pourtant plutôt du genre du journal intime fictif, puisque c'est celui d'Oberman, même s'il emprunte beaucoup d'éléments à la vie de l'auteur, Senancour. Il y expose sa mélancolie, ses déceptions et son inadaptation à la vie en société, comme en témoigne cet extrait de la lettre XLI.

Je me demande quelquefois où me conduira cette contrainte [1] qui m'enchaîne à l'ennui, cette apathie [2] d'où je ne puis jamais sortir ; cet ordre de choses nul et insipide dont je ne saurais me débarrasser, où tout manque, diffère [3], s'éloigne ; où toute probabilité
5 s'évanouit ; où l'effort est détourné ; où tout changement avorte ; où l'attente est toujours trompée, même celle d'un malheur du moins énergique ; où l'on dirait qu'une volonté ennemie s'attache à me retenir dans un état de suspension et d'entraves [4], à me leurrer [5] par des choses vagues et des espérances évasives [6], afin de consumer
10 ma durée entière [7] sans qu'elle ait rien atteint, rien produit, rien possédé. Je revois le triste souvenir des longues années perdues. J'observe comment cet avenir qui séduit toujours, change et s'amoindrit en s'approchant. Frappé d'un souffle de mort à la lueur funèbre du présent, il se décolore dès l'instant où l'on veut jouir [8] ;
15 et laissant derrière lui les séductions [9] qui le masquaient et le prestige déjà vieilli, il passe seul, abandonné, traînant avec pesanteur son spectre épuisé et hideux, comme s'il insultait à la fatigue que donne le glissement sinistre de sa chaîne éternelle : lorsque je pressens cet espace désenchanté où vont se traîner les restes de ma
20 jeunesse et de ma vie ; et que ma pensée cherche à suivre d'avance la pente uniforme où tout coule et se perd ; que trouvez-vous que je puisse attendre à son terme, et qui pourrait me cacher l'abîme où tout cela va finir ? Ne faudra-t-il pas bien que, las [10] et rebuté [11], quand je suis assuré de ne pouvoir rien, je cherche au moins du
25 repos ? Et quand une force inévitable pèse sur moi sans relâche, comment reposerai-je [12], si ce n'est en me précipitant [13] moi-même ?

---

1. *Cette contrainte* : ce malaise. \ **2.** *Apathie* : absence d'émotion et de réaction. \ **3.** *Diffère* : retarde, repousse. \ **4.** *Entraves* : empêchements d'agir. \ **5.** *Leurrer* : tromper. \ **6.** *Évasives* : imprécises. \ **7.** *Afin de consumer ma durée entière* : afin d'épuiser la durée de ma vie entière. \ **8.** *Jouir* : être heureux. \ **9.** *Séductions* : tromperies. \ **10.** *Las* : fatigué. \ **11.** *Rebuté* : découragé. \ **12.** *Reposerai-je* : me reposerai-je. \ **13.** *Me précipitant* : m'anéantissant.

TEXTE 3 • Alphonse de Lamartine, « Le Vallon », *Méditations poétiques* (1820)

Les *Méditations poétiques* sont un petit recueil de vingt-quatre poèmes, mais leur publication représente un bouleversement dans le domaine de la poésie, à cause, notamment, de leur lyrisme exacerbé et des thèmes nouveaux qu'ils y introduisent. Dans cet extrait du « Vallon », le poète trouve dans la nature un refuge à ses malheurs et à la vie qui le fuit.

Voici l'étroit sentier de l'obscure vallée :
Du flanc de ces coteaux pendent des bois épais,
Qui, courbant sur mon front leur ombre entremêlée,
Me couvrent tout entier de silence et de paix.

5 Là, deux ruisseaux cachés sous des ponts de verdure
Tracent en serpentant les contours du vallon ;
Ils mêlent un moment leur onde et leur murmure,
Et non loin de leur source ils se perdent sans nom.

La source de mes jours comme eux s'est écoulée,
10 Elle a passé sans bruit, sans nom, et sans retour :
Mais leur onde est limpide, et mon âme troublée
N'aura pas réfléchi les clartés d'un beau jour.

La fraîcheur de leurs lits, l'ombre qui les couronne,
M'enchaînent tout le jour sur les bords des ruisseaux ;
15 Comme un enfant bercé par un chant monotone,
Mon âme s'assoupit au murmure des eaux.

Ah ! c'est là qu'entouré d'un rempart de verdure,
D'un horizon borné qui suffit à mes yeux,
J'aime à fixer mes pas, et, seul dans la nature,
20 À n'entendre que l'onde, à ne voir que les cieux.

J'ai trop vu, trop senti, trop aimé dans ma vie,
Je viens chercher vivant le calme du Léthé[1] ;
Beaux lieux, soyez pour moi ces bords où l'on oublie :
L'oubli seul désormais est ma félicité.

---

1. *Léthé* : dans la mythologie, fleuve des Enfers dont l'eau avait la propriété de faire oublier le passé et où les âmes des morts venaient boire.

L'ŒUVRE DANS UN GENRE

RENÉ : UN GENRE AMBIGU

Comme le dit Barbey d'Aurevilly à propos de *René,* dans un article du journal *Le Constitutionnel* daté du 21 juillet 1879 : « de quel nom l'appeler ? un roman, une nouvelle, un *presque rien* de quelques pages, évidemment personnelles ». Il est difficile de dire à quel genre appartient le bref récit de Chateaubriand, et cela, d'autant plus qu'il fut d'abord conçu pour être publié comme une partie d'ensembles plus vastes.

RENÉ DANS *LES NATCHEZ* : UN ROMAN ?

À l'origine, en effet, *René* fut pensé comme un épisode des *Natchez,* de même qu'*Atala.* Chateaubriand fit le projet de cette « épopée de l'homme dans la nature » à la veille de la Révolution et lors de son voyage en Amérique de 1791, en pensant que ce serait son premier ouvrage. Il commence à l'écrire peu après, pendant son émigration en Angleterre des années 1793 à 1799, en donnant au récit la forme d'une épopée américaine.

Lorsqu'il revient en France en 1800, il n'emporte que le manuscrit de deux épisodes aisément détachables, qui prendront les titres d'*Atala* et de *René,* et qu'il pense publier à part ou intégrer dans son *Génie du christianisme* en préparation, et laisse le reste du manuscrit derrière lui. Il ne le récupère qu'en 1816 et le publie dix ans plus tard dans ses *Œuvres complètes,* dans un état lacunaire puisque les épisodes d'*Atala* et de *René,* pour ne pas faire redondance avec le reste des *Œuvres,* n'y sont pas réintégrés.

Les Natchez se divisent en deux parties : la première est une épopée ; la seconde relève du roman. La partie épique raconte l'arrivée, en 1725, de René, un jeune Français, dans la tribu des Indiens Natchez, près de Fort Rosalie en Louisiane, où il est adopté par le sachem Chactas. Une guerre se prépare entre cette tribu et les Français. Céluta, sœur d'Outougamiz, tombe amoureuse de René, alors qu'elle est aimée du jeune guerrier Ondouré. Chactas fait à René le récit de sa vie (notamment son voyage en France), dont une partie constitue la matière d'*Atala.* Les Natchez entrent ensuite en guerre contre la tribu des Illinois d'une part et contre les Français d'autre part. Cela donne à Outougamiz l'occasion de sauver René.

La seconde partie voit l'accession d'Ondouré au rang de chef de la tribu des Natchez. René épouse Céluta, s'attirant la haine de son rival, qui pactise avec les Français pour le perdre. René est accusé d'avoir combattu contre son pays, mais il est relâché grâce au capitaine d'Artaguette, un ancien prisonnier des Natchez que Céluta avait libéré. C'est alors qu'une lettre apprend à René le décès de sa sœur Amélie, ce qui provoque sa confession à Chactas et au père Souël : c'est le récit de *René*. Ondouré profite d'une révolte contre les Français pour tuer René, avant d'être à son tour abattu par Outougamiz. Céluta se donne alors la mort en se jetant dans les chutes du Niagara.

Si l'on se fonde sur son fonctionnement au sein des *Natchez,* on peut considérer *René* comme un récit relevant du genre romanesque. Mais il faut aussi observer le rôle qu'il tient dans *Le Génie du christianisme,* puisque, contrairement à *Atala* qui a d'abord été livré à part, la première publication de *René* en 1802 en fait une partie du *Génie du christianisme.*

RENÉ DANS *LE GÉNIE DU CHRISTIANISME* : UN APOLOGUE CHRÉTIEN ?

Chateaubriand commence en 1799, à Londres, un essai dont le titre complet est *Génie du christianisme, ou Beautés de la religion chrétienne.* Il a l'intention d'écrire une simple brochure, mais, à la suite du décès de sa mère et du renouveau que connaît sa foi, le projet enfle considérablement jusqu'à sa parution le 24 Germinal an IX (14 avril 1802). L'œuvre est avant tout une apologie du christianisme, divisée en quatre parties, contenant chacune six livres.

Dans la première partie, Chateaubriand examine les « Dogmes et Doctrines » de l'Église (la Trinité, les sacrements, le péché originel, le Jugement dernier…).

La deuxième partie concerne l'influence du christianisme sur la littérature. Chateaubriand y compare la littérature païenne antique à la littérature d'inspiration chrétienne : d'après lui, il ne fait aucun doute que la seconde est supérieure. Les tragédies classiques, *Andromaque* et *Phèdre* de Racine par exemple, sont meilleures que leurs modèles antiques. *René* apparaît alors, au livre IV de cette deuxième partie, comme exemple d'une existence dépourvue de foi chrétienne et livrée aux passions. Au contraire, *Paul et*

Virginie (1788) de Bernardin de Saint-Pierre, un roman annonçant le romantisme, est considéré comme profondément chrétien. Chateaubriand étudie aussi dans cette partie Dante (1265-1321), Milton (1608-1674), et Racine (1639-1699) ; il entend montrer que les œuvres associant la morale chrétienne sont plus belles et plus touchantes. Il compare également les rôles de la Bible et de l'œuvre d'Homère dans l'origine des littératures chrétienne et païenne.

La troisième partie porte sur les beaux-arts et sur la littérature. Chateaubriand y étudie l'architecture et la peinture. Il établit une comparaison entre la pensée des Lumières, tendant à l'athéisme, et la morale du xviie siècle, imprégnée de christianisme. Il réfléchit enfin sur les relations qui s'établissent entre la religion, la nature et les passions. *Atala* prend place à la fin de cette troisième partie pour illustrer ces relations, les « harmonies de la religion chrétienne avec les scènes de la nature et les passions du cœur humain » (livre vi).

Enfin, dans la quatrième partie, Chateaubriand dresse un historique de l'Église : sa doctrine sociale, ses monuments, ses traditions, ses missions à l'étranger et son influence sur l'organisation politique de la société.

Le Génie du christianisme contribua au redressement d'une religion que les philosophes du xviiie siècle avaient ébranlée. Pourtant, comme le dit Pierre Reboul dans son introduction à l'œuvre, « nombre de défauts de l'Église de France, dans la première moitié du xixe siècle et au-delà, tiennent au *Génie* : un spiritualisme confus, un trop aisé détachement du siècle[1] ».

Au sein de cette œuvre, *René* peut donc être considéré comme un apologue destiné à montrer les dégâts que peut faire le « vague des passions » que la religion chrétienne ne peut diriger. Tout le matériel romanesque se trouve alors mis au service de la vérité chrétienne. Mais n'oublions pas que Chateaubriand, trois ans plus tard, détache encore *René* pour le publier avec *Atala*.

RENÉ COMME ŒUVRE AUTONOME

Probablement dès son écriture, Chateaubriand a conçu *René* comme un épisode doté d'une certaine autonomie, même s'il ne l'a jamais publié seul, puisque dans l'édition de 1805 il est associé à *Atala*. Cette autonomie provient de ce que les deux récits sont des retours en arrière racontant la vie, à la première personne, de René et de Chactas.

---

1. *Siècle* : monde.

Autonome, le texte se délivre de l'intention apologétique[1] qu'il possédait de par son inclusion dans *Le Génie du christianisme* et devient une sorte d'étendard romantique. Il faut bien voir que cette métamorphose le fait diamétralement changer de sens : dans le *Génie*, le « vague des passions » était dénoncé comme non chrétien ; une fois *René* devenu autonome, le public reçoit ce « vague » comme un état d'âme valorisé vers lequel il faut tendre.

Pourtant, entre 1802 et 1805, Chateaubriand, pressentant sans doute ce risque, prend soin de procéder à de nombreuses corrections et coupures qui toutes atténuent le texte. En particulier, il retarde et édulcore l'aveu de l'amour incestueux de la sœur pour le frère. Dans le texte de 1802, cet amour était clairement signifié ; celui de 1805 ne procède que par allusion. Les « caresses » qu'Amélie prodigue à son frère en 1802, fussent-elles qualifiées d'« innocentes », sont ôtées en 1805, et sa lettre n'est plus « couv[erte] de baisers ».

Ainsi, *René* n'a pas le même sens et ne relève pas du même genre suivant qu'il est conçu au sein des *Natchez*, publié dans *Le Génie du christianisme* ou présenté comme texte autonome. Nous pouvons à présent examiner plus en détail d'abord le fonctionnement romanesque de *René*, puis son fonctionnement en tant qu'apologue. Il nous faudra ensuite penser à un autre genre possible, celui de l'autobiographie.

RENÉ COMME ROMAN

LE ROMAN, UN GENRE ENCORE DÉCRIÉ

Au début du XIXe siècle, le roman est encore un genre discrédité ; il devra attendre Balzac pour trouver ses lettres de noblesse. Il n'a aucun ancêtre dans l'Antiquité ; il ne possède pas de règles ; au XVIIIe siècle, on a beaucoup critiqué son immoralisme et son manque de vraisemblance. Même si sa réputation s'est améliorée avec les réussites de la fin du XVIIIe siècle (*Les Liaisons dangereuses*, *La Nouvelle Héloïse*, *Paul et Virginie*…), on peut comprendre les réticences de Chateaubriand à nommer « romans » aussi bien *Atala* que *René* : la préface d'*Atala* parle de « poèmes » et de « drames ».

---

1. *Apologétique* : qui vise à faire une apologie, un éloge appuyé.

UNE ÉNONCIATION ROMANESQUE PARTICULIÈRE

Comme *Atala*, *René* est pris dans un dialogue qu'on a tendance à perdre de vue au fur et à mesure de la lecture. René fait le récit de sa vie à deux destinataires : Chactas et le père Souël. L'introduction et la conclusion se chargent de mettre en place et de rappeler une telle énonciation. Ce récit-cadre est mené par un narrateur qu'on peut appeler, selon la terminologie de Gérard Genette, extradiégétique, c'est-à-dire extérieur à l'histoire, à la troisième personne, tandis que le récit encadré est fait par René lui-même à la première personne : c'est un narrateur intradiégétique, intérieur à l'histoire.

Dès les premières lignes du récit, les deux interlocuteurs de René sont présentés au lecteur. Le récit, ensuite, insiste sur les refus répétés du héros de raconter son histoire malgré le vif intérêt manifesté par les deux autres personnages. Enfin, il se décide. Et le récit proprement dit est annoncé par la phrase : « René prit sa place au milieu d'eux, et après un moment de silence, il parla de la sorte à ses vieux amis » (l. 51-52). Tous ces éléments visent à capter l'attention du lecteur et à éveiller chez lui la même curiosité qu'il trouve chez Chactas et le père Souël, représentants du lecteur dans le texte.

Dans le récit encadré, la présence de ces destinataires est marquée grâce au pronom personnel « vous » au début du texte et parfois rappelée au cours du récit : « Que vais-je vous révéler, ô mes amis ! » (l. 547). Parfois René ne s'adresse qu'à son père adoptif : « Hélas ! mon père, je ne pourrai t'entretenir de ce grand siècle » (l. 310-311).

Le récit-cadre réapparaît peu après le début du récit, rappelant la situation d'énonciation dans laquelle s'inscrit la confession de René et accroissant le pathétique des événements rapportés : « En prononçant ces derniers mots, René se tut et tomba subitement dans la rêverie. Le père Souël le regardait avec étonnement, et le vieux Sachem aveugle, qui n'entendait plus parler le jeune homme, ne savait que penser de ce silence » (l. 270-273).

L'énonciation spécifique de *René*, associant un court récit-cadre à la troisième personne et un récit encadré plus long, permet de mieux impliquer le lecteur dans la confession de René et d'accroître l'illusion romanesque. On adhère en effet davantage à un récit raconté à la première personne, surtout s'il a des destinataires fictifs qui figurent le lecteur.

LES LIEUX ET LES TEMPS ROMANESQUES

Contrairement à ce qui ce passera dans le roman balzacien, nous n'avons que peu de précisions concernant le temps dans *René*. C'est grâce au récit d'*Atala* que nous savons que René arrive dans la tribu des Natchez en 1725. Le récit-cadre de *René* nous indique que « quelques années s'écoulèrent de la sorte » (l. 21).

Dans le récit encadré de *René*, un âge (seize ans) est mentionné au début, encore est-ce dans une phrase à portée générale, aux allures de maxime : « il n'y a rien de plus poétique, dans la fraîcheur de ses passions, qu'un cœur de seize années » (l. 88-89). Deux durées le sont aussi, lorsque René retrouve Amélie : « Nous fûmes plus d'un mois à nous accoutumer à l'enchantement d'être ensemble » (l. 533-534) ; « Trois mois se passèrent de la sorte (l. 568). On sait aussi que le père de René est emporté par la maladie « en peu de jours » (l. 113). Mais les lettres ne sont pas datées ; on ne sait pas combien de temps s'écoule entre les événements relatés.

Le récit-cadre est un peu moins imprécis ; certains repères nous sont donnés : il est question de « la chasse du castor » (l. 10) ; on sait aussi que « quelques années » (l. 21) s'écoulent. La plus grande précision apparaît avec le début du récit de René, qui a lieu « le 21 de ce mois que les Sauvages appellent *la lune des fleurs* » (l. 30). Cette date exotique contraste avec l'absence de date à l'intérieur du récit que René va narrer. L'imprécision des repères temporels est à l'image du « vague des passions » que le récit illustre.

En l'absence de chronologie précise, les lieux sont importants dans *René* : ce sont eux qui forment l'armature du récit. Le récit-cadre se déroule en Amérique. Les premiers lieux que présente la confession de René appartiennent à l'univers de la famille : le collège et surtout le « château paternel, situé au milieu des forêts » (l. 72-73). Nous ne connaîtrons pas ce château de l'intérieur. Après la mort du père, Amélie et René se retirent « chez de vieux parents » (l. 138), près desquels est bâti une « antique abbaye » où René pensait « dérober [s]a vie aux caprices du sort » (l. 159-160) avant de changer d'avis. René insiste sur sa solitude dans tous ces lieux, même entouré de ses condisciples collégiens. La seule présence qu'il apprécie à ses côtés est celle de sa sœur Amélie.

Nous sommes ensuite entraînés dans le premier voyage que fait René, visitant d'abord les civilisations mortes de la Grèce et de Rome, puis l'Europe moderne, l'Angleterre, l'Écosse et, curieusement, de nouveau l'Italie, en particulier la Sicile. Ces lieux ne semblent pas concrets : à part l'Angleterre, Chateaubriand ne les connaît pas ; de plus, leur abstraction concourt à l'impression que veut donner l'auteur : ce voyage était inutile ; René a parcouru « tant de contrées » pour en rapporter « si peu de fruit » (l. 279, 278).

René revient alors dans le pays de son enfance, mais il se trouve « plus isolé dans [s]a patrie qu['il] ne l'avai[t] été sur une terre étrangère » (l. 330-331). La ville est un « vaste désert d'hommes » (l. 343-344) où René est « traité […] d'esprit romanesque » (l. 338), tandis que dans la nature aussi il connaît la solitude. Celle-ci ne s'estompe que lorsqu'il est de nouveau uni à Amélie, mais bientôt l'aveu de la sœur engendre une nouvelle séparation.

René retrouve le château paternel, d'où il part pour le couvent de B… Il n'y entre que pour assister à la cérémonie des vœux d'Amélie. Puis il entreprend son second voyage, vers l'Amérique, lieu du récit-cadre.

Les lieux de René organisent un parcours circulaire : le récit-cadre nous fait demeurer en Amérique, le récit encadré nous ramène au château paternel d'où nous étions partis. Ces lieux sont à l'image de l'état d'âme de René : ils annulent le mouvement, créant une sorte d'inertie perpétuelle.

LES RÉFÉRENCES AU GENRE ÉPISTOLAIRE

Si René n'est pas un roman par lettres, c'est une œuvre qui emprunte au genre épistolaire certaines de ses caractéristiques. On compte neuf lettres dans le récit (encadrant et encadré), même si seule l'une d'entre elles nous offre un texte complet. Toutes ces lettres sont échangées entre René et Amélie, sauf la première, qui émane du couvent de B… comme nous l'apprendrons à la fin du récit.

La première est cruciale puisqu'elle déclenche la confession de René. Nous savons qu'il l'a reçue par le biais du bureau des Missions étrangères, mais nous ne découvrirons son auteur et son contenu qu'à la fin du récit.

La deuxième, de René à Amélie, prévient cette dernière que, revenu en France, son frère veut la rejoindre ; la troisième constitue la réponse d'Amélie, qui ne paraît pas souhaiter la venue de son frère ; nous ne disposons que de résumés de leur contenu : « Je lui écrivis que je comptais l'aller rejoindre ; elle se hâta de me répondre pour me détourner de ce projet » (l. 323-325).

Le lecteur s'étonne de cet éloignement d'Amélie, qui paraissait proche de René au début du récit.

La quatrième, de René à Amélie, s'efforce d'être purement utilitaire, mais s'y glissent « quelques plaintes sur son oubli » (l. 501) et peut s'y lire « l'attendrissement qui surmontait peu à peu [s]on cœur » (l. 502-503). Ici encore, nous n'en avons qu'un résumé, mais son effet est important, puisqu'Amélie court rejoindre son frère.

La cinquième est la seule dont nous est donné le contenu exhaustif. Elle est écrite à René par Amélie, qui lui annonce sa décision d'entrer au couvent et donne quelques signes discrets de son amour impossible pour son frère (« Ah ! si un même tombeau nous réunissait un jour ! », l. 627-628). Cette lettre cause un grand trouble à René ; par une sixième lettre, qui nous est résumée, il « supplie » sa sœur de lui « ouvrir son cœur » (l. 671-672). La réponse d'Amélie, qui constitue la septième lettre du récit, ne répond pas à la prière de son frère, mais lui apprend seulement que, dispensée du noviciat, elle va pouvoir prononcer ses vœux. Cette lettre provoque le départ de René pour le couvent de B…

La huitième lettre, d'Amélie à René, est envoyée après la cérémonie des vœux. Un résumé nous en est fait (« Amélie se plaignait tendrement de ma douleur », l. 886-887) et un fragment nous en est donné. Cette lettre décide René à s'embarquer pour l'Amérique. Nous le voyons ensuite occupé à écrire la neuvième lettre : « je m'étais arrangé pour passer la dernière nuit à terre, afin d'écrire ma lettre d'adieux à Amélie » (l. 907-909).

Lorsque nous revenons au récit-cadre, nous recevons des éclaircissements au sujet de la première lettre : nous apprenons qu'elle émane de la Supérieure du couvent de B… et qu'elle fait part à René du décès de sa sœur, qui déclenche le désespoir du héros.

Ainsi, nous constatons clairement que ces lettres jouent un rôle important dans le déroulement de l'histoire. Les première et cinquième lettres, en particulier, sont capitales, puisque l'une déclenche la confession de René, et l'autre, exactement située au milieu de cette confession, scelle le destin d'Amélie et commence à nous révéler son secret.

UN ROMAN SANS ÉVÉNEMENTS ?

René prétend que sa vie est dépourvue d'événements : il entend « raconter, non les aventures de sa vie, puisqu'il n'en avait point éprouvé, mais les sentiments secrets de son âme » (l. 28-29). Ainsi *René* serait un roman dépourvu d'événements, un roman de l'âme.

Pourtant il est certain que des événements jalonnent l'histoire de René : la mort de la mère, les liens avec Amélie dans l'enfance, les voyages, le séjour avec Amélie, sa prise de voile, le départ pour l'Amérique... D'autant que le voyage en Amérique était, au XVIIIe siècle, une véritable aventure, aussi bien en ce qui concerne la traversée de l'océan que la vie quotidienne dans des établissements précaires et menacés.

De même, il y a dans *René* une véritable intrigue, qui fonctionne sur plusieurs secrets : celui de la vie de René avant son arrivée en Amérique, qui est dévoilé par sa confession ; celui de l'amour incestueux de sa sœur, qui est révélé lors de la cérémonie des vœux ; celui, enfin, de la mort d'Amélie, qui est esquissé avec la lettre reçue au début, mais dévoilé seulement à la fin.

Il est donc incontestable que *René* est jalonné d'événements et pourvu d'une intrigue qui en font un vrai roman ; la revendication d'une existence morose ne peut alors venir que de la pose d'un héros romantique attentif aux seuls mouvements de son moi intime.

RENÉ COMME APOLOGUE

UN APOLOGUE AU SERVICE DE LA RELIGION CHRÉTIENNE

Nous avons vu que, inséré dans *Le Génie du christianisme*, *René* prenait la valeur d'un apologue, puisqu'il est destiné, dans ce cadre, à servir d'exemple argumentatif au service de la thèse de l'auteur ; il participe ainsi à l'apologétique de la religion chrétienne. Mais de quelle façon ?

D'une part, *René* montre la misère spirituelle d'un jeune homme à l'esprit exalté mais séparé de la religion chrétienne ; *René* illustre la « misère de l'homme sans Dieu » dont parle Pascal, dans les célèbres notes qui furent recueillies après sa mort sous le titre de *Pensées* (1670).

D'autre part, Amélie, dans *René*, est sauvée par la religion, puisqu'en pronon-çant ses vœux elle se place hors d'état de poursuivre son frère de l'amour incestueux qu'elle a conçu pour lui. Ce qu'écrit la Supérieure du couvent dans la lettre qu'elle envoie à René est important puisqu'elle y témoigne du « zèle » et de la « charité » (l. 943) de Sœur Amélie de la Miséricorde ; la communauté qu'elle dirige tient même Amélie pour « une sainte » (l. 945) : « depuis trente ans qu'elle [la Supérieure] était à la tête de la maison, elle n'avait jamais vu de religieuse d'une humeur aussi douce et aussi égale » (l. 946-948). C'est dire que la religion a permis à Amélie de s'amender, contrairement à René, qui continue à poursuivre ses chimères, dans sa solitude sans Dieu.

Il faut également noter que la préface de *René* vise à rétablir ce récit dans cette fonction d'apologue en dehors même du cadre plus ample que constitue *Le Génie du christianisme*. Nous avons dit que *René* comme texte autonome perdait ce rôle d'apologue, mais la préface de 1805, extraite de celle du *Génie du christianisme* et de la *Défense du Génie du christianisme* vise précisé-ment à le lui redonner ; Chateaubriand y écrit : « Tout ce qu'un critique impar-tial [...] était en droit d'exiger de l'auteur, c'est que les épisodes de cet ouvrage eussent une tendance visible à faire aimer la Religion et à en démontrer l'uti-lité » (l. 88-91). L'auteur tire la morale de son récit : « Il ne faut pas perdre de vue qu'Amélie meurt heureuse et guérie, et que René finit misérablement » (l. 149-150). Mais on peut aussi retourner le sens de l'apologue.

LES DANGERS DE L'APOLOGUE

Le principal danger de l'apologue, c'est que le lecteur n'en comprenne pas le sens implicite, ou, pire encore, qu'il comprenne le contraire.

On pourrait considérer que cette mauvaise compréhension est facilitée par la contradiction dans la pensée de Chateaubriand telle qu'elle s'exprime dans le passage du *Génie du christianisme* qui introduit l'histoire de René. En effet, Chateaubriand y déclare, dans le chapitre « Du vague des passions », que « la religion chrétienne [...] a fait dans le cœur une source de maux présents et d'espérances lointaines, d'où découlent d'inépuisables rêveries ». En d'autres termes, la mélancolie et le « vague des passions » qui en découle viennent de la religion chrétienne. Du reste, si ses tentations suicidaires nous montrent qu'il a perdu la foi, René se dit « plein de religion » (l. 482). Comment concilier la représentation de cette religion qui incline à la mélancolie et au

« mal du siècle », avec la défense du christianisme qu'est censé exposer *Le Génie du christianisme* ? Il y a là une contradiction qu'il est difficile de lever.

En outre, la mauvaise compréhension de l'apologue se manifeste dans la réception même de *René*, puisque l'attitude que Chateaubriand dit combattre se répand au contraire. Certes, la préface dévalorise cette attitude : « L'auteur y combat en outre [dans *René*] le travers particulier des jeunes gens du siècle, le travers qui mène directement au suicide. [...] L'auteur du *Génie du christianisme* [...] a voulu dénoncer cette espèce de vice nouveau, et peindre les funestes conséquences de l'amour outré de la solitude » (l. 96-98, 104-108). Mais les lecteurs ont compris que le texte valorisait implicitement ce comportement. C'est pour cette raison que Chateaubriand a affirmé que si le texte était à réécrire, il ne le ferait plus parce qu'« il a infesté l'esprit d'une partie de la jeunesse ».

Il était d'autant plus malaisé de croire que Chateaubriand avait une vision négative du jeune homme mélancolique et jouissant de son propre malheur que celui-ci lui ressemblait à s'y méprendre. Les aspects autobiographiques du récit n'inclinaient pas le public à rejeter l'attitude de René.

RENÉ COMME AUTOBIOGRAPHIE DÉGUISÉE ?

ROMAN AUTOBIOGRAPHIQUE, ROMAN DU MOI, ROMAN DU JE

Les critiques ont insisté sur le caractère autobiographique du récit, qui est à bien des égards évident, comme nous allons le voir.

Rappelons la définition que Philippe Lejeune donne de l'autobiographie : il s'agit d'un « récit rétrospectif en prose qu'une personne réelle fait de sa propre existence, lorsqu'elle met l'accent sur sa vie individuelle, en particulier l'histoire de sa personnalité[1] ». Dans le cas de *René*, on n'a pas affaire à une autobiographie, puisque le personnage éponyme n'est pas une « personne réelle », même s'il partage un certain nombre de traits avec l'auteur, à commencer par son prénom : Chateaubriand s'appelait François René.

---

1. *Le Pacte autobiographique*, éditions du Seuil, coll. « Poétique », 1975, rééd. 1996, coll. « Points », p. 14.

Si l'on veut citer une des différences, signalons que Chateaubriand n'a pas perdu sa mère lors de sa naissance, contrairement à René.

Pourtant, on peut parler de « roman autobiographique », d'« autobiographie déguisée », ou, plus scientifiquement, de « roman du moi », si l'on se réfère au contenu du récit, ou encore de « roman du je » si l'on considère l'énonciation (écriture à la première personne). L'expression « roman autobiographique » présente en effet l'inconvénient de mélanger deux genres que la description des textes gagne à bien distinguer. Quant au groupe nominal « autobiographie déguisée », il présente l'avantage d'être suggestif sans induire en erreur.

Voyons d'abord ce qui rapproche le récit de l'autobiographie, puis ce qui au contraire l'en éloigne.

RENÉ ET FRANÇOIS RENÉ, AMÉLIE ET LUCILE

Les similitudes entre la vie fictive du personnage René et la vie réelle de la personne Chateaubriand sautent aux yeux si on lit en parallèle *René* et les premiers livres des *Mémoires d'outre-tombe*. Sont communs aux deux êtres l'enfance délaissée, l'adolescence au château paternel, l'embarras face au père, les errances dans les forêts et sur les landes, les tentatives poétiques, le voyage en Amérique, l'idée d'entrer dans les ordres, les pensées suicidaires (qui, chez Chateaubriand, l'ont conduit à une tentative bien réelle, un canon de fusil dans la bouche)…

On reconnaît surtout dans les deux récits la place primordiale qu'occupe la sœur : il est difficile de ne pas voir en Amélie (la sœur de René) Lucile (la sœur de Chateaubriand), dont il parle dans le livre III des *Mémoires d'outre-tombe*. Cette jeune fille, qui demeure énigmatique encore aujourd'hui, avait un caractère à la fois mélancolique et passionné qui la conduisit à la folie et jusqu'à un suicide probable à l'âge de quarante ans.

On peut alors se demander si les sentiments incestueux que Chateaubriand confère à Amélie étaient également ceux de Lucile. Remy de Gourmont (1858-1915) le croit, qui écrit : « Chateaubriand ne donne rien à supposer. Il est parfaitement clair. […] Je tiens que *René* explique les vraies causes de la folie de Lucile, car je ne vois pas d'autre mot pour caractériser l'état où Chateaubriand la trouva à son retour en France, en 1802. » Il prend soin toutefois de préciser qu'on ne sait rien des sentiments véritables que Lucile portait à son frère : « Il n'y a aucune trace de tout cela dans ses *Mémoires* et il est probable que c'est une sombre idée, née de longs souvenirs, qui lui vint à Londres, dans ses années de misère [...]. Ces imaginations eurent-elles quelque fondement réel, ne sont-elles pas la broderie d'une anecdote [...] lue par quelque soir de maladie ? Il serait aventureux de se prononcer catégoriquement ».

D'autres voix se sont élevées pour refuser une identification aussi complète entre Lucile et Amélie, arguant du fait que Chateaubriand n'aurait jamais publié *René* du vivant de sa sœur si elle avait vraiment éprouvé pour lui un amour incestueux. Il est possible aussi de voir dans ce récit non pas les sentiments que portait Lucile à son frère, mais le fantasme de l'auteur mis au service de son œuvre littéraire. Comme le dit le père Souël : « s'il faut ici dire ma pensée, je crains que, par une épouvantable justice, un aveu sorti du sein de la tombe n'ait troublé votre âme à son tour » (l. 975-977).

Si nous avons examiné les similitudes entre l'histoire de René et la vie de Chateaubriand, nous pouvons également en dégager les différences, qui font de *René* non pas une autobiographie, mais une fiction littéraire.

RENÉ : UNE FICTION LITTÉRAIRE

On a signalé que la mère de Chateaubriand n'est pas morte en le mettant au monde, mais lorsqu'il avait trente ans. Le décès du père est également anticipé dans la fiction, si bien que René et Amélie se retrouvent orphelins et livrés à eux-mêmes, tandis que Chateaubriand et sa sœur Lucile ne l'étaient pas. La crise mélancolique que l'auteur a connue dans la réalité, pendant laquelle il aime à se retrouver seul au milieu des tempêtes, se situe après ses études ; dans *René*, l'épisode est retardé, puisqu'il se déroule après la tentation d'entrer dans les ordres, les voyages et le séjour au sein des grandes villes. D'une part, ces décalages renforcent le poids des malheurs qui s'abattent ; d'autre part, ils mettent en place un héros dont la mélancolie paraît permanente, alors que Chateaubriand s'est dépris de ses délires adolescents pour se consacrer à la vie bien réelle en se lançant dans la politique avec détermination.

Dans la réalité, Lucile se marie en 1796, à trente-deux ans, avec M. de Caud, qui a trente-sept ans de plus qu'elle. Dans la fiction, on sait qu'Amélie ne se marie pas, mais entre au couvent où elle prononce immédiatement ses vœux. C'est lors de la cérémonie, où, notons-le, René lui sert de père de substitution, qu'Amélie lui fait l'aveu de son amour. Ce changement est tout entier au service de l'amour incestueux qui est au centre de *René*. Il n'est pas sans conséquence que cette thématique s'associe d'aussi près au motif religieux : si l'on peut considérer qu'Amélie expie sa « faute » (l. 975) en se faisant nonne, sa révélation va agir comme un poison pernicieux chez son frère ; pourquoi, peut-on se demander par conséquent, la lui a-t-elle faite, renouvelant et accentuant son « crime » au moment de l'expier ?

Le voyage en Amérique constitue une autre divergence entre la réalité et la fiction, puisque Chateaubriand n'y reste que cinq mois, tandis que René y passe le reste de son existence. L'exil définitif consacre René comme héros « maudit », à jamais déraciné : son tempérament mélancolique, ses passions qui tournent « à vide » l'ont banni de la terre de ses ancêtres où il ne saurait faire œuvre utile.

S'il est impossible de ne pas observer de nombreuses similitudes entre la vie de Chateaubriand et l'histoire de René, force est de constater les différences, parfois notables. L'auteur s'est servi de sa vie pour mettre en forme une œuvre littéraire ; il est parti de la réalité, pour aller du côté d'une fiction stylisée par l'art. *René* est tout au plus un jalon vers l'autobiographie qu'à la fin de sa vie il écrira.

GROUPEMENT DE TEXTES : UN ROMAN ROMANTIQUE

TEXTE 4 • *René*

J'ai coûté la vie [...] de Dieu ou de notre mère.

> PAGES 17-19, LIGNES 63-111

La jeunesse de René

1. Étudiez les oppositions dans les deux premiers paragraphes.

2. Comment le portrait d'Amélie est-il mené ?

3. Comment René en vient-il à s'intéresser à la poésie ?

4. Pourquoi tout un développement est-il consacré aux cloches ? Étudiez les différences entre ce paragraphe et celui qui précède.

5. Étudiez le dernier paragraphe (« Il est vrai [...] de notre mère »).

TEXTE 5 • *René*

Cette vie, qui m'avait d'abord enchanté [...] mes feuilles de saule.

> PAGES 29-30, LIGNES 374-420

La crise de René

1. Quel est le registre du texte ? Justifiez votre réponse.

2. Étudiez l'emploi des pronoms personnels dans le texte.

3. Quelle opposition René perçoit-il en lui ? Comment l'exprime-t-il ?

4. En quoi René est-il ici un héros romantique ?

TEXTE 6 • *René*

Tout à coup un murmure confus [...] comme le plaisir.

> PAGES 44-45, LIGNES 790-831

L'aveu d'Amélie

1. Comment Amélie fait-elle à son frère l'aveu de son amour incestueux ?

2. Comment René réagit-il ? Montrez qu'il réinterprète son passé.

3. Par quels moyens la scène racontée est-elle dramatisée ?

4. Quel effet l'apostrophe « Ô mes amis » produit-elle ?

TEXTE 7 • *René*

Rien, dit-il au frère d'Amélie [...] au soleil couchant.

> PAGES 50-52, LIGNES 962-1017

La leçon du père Souël et de Chactas

1. Comment le père Souël réinterprète-t-il la confession de René ? Quels éléments de son discours relèvent plus spécifiquement de la religion chrétienne ?

2. Comparez le discours du père Souël et les interventions de Chactas.

3. Étudiez la métaphore filée qu'emploie Chactas.

4. Étudiez la fin du texte (« On dit [...] couchant »). Quel est le rôle de la principale : « On dit que… » ? Comment et pourquoi Chateaubriand joue-t-il ici avec la temporalité ? Quelle est la fonction de la dernière phrase ?

L'ARGUMENTATION DANS *RENÉ*

Comme nous l'avons dit, *René* peut être considéré comme un apologue, c'est-à-dire un texte de type narratif mis au service d'une thèse, la défense de la religion chrétienne. Mais nous pouvons aussi repérer des lieux du texte où l'argumentation se fait plus directe. Si la préface constitue un hors-texte, ou, selon la terminologie de Genette, un « péritexte » (un texte situé « autour » du texte principal, un texte qui ne fait pas vraiment partie de *René*), nous ne pouvons laisser de côté cette argumentation censée orienter, pour les lecteurs, les significations du récit : nous commencerons donc par l'analyser. Nous nous intéresserons ensuite au discours du père Souël, à la fin de *René*, puis à la réponse que lui fait Chactas, qui constitue un autre apologue.

LA PRÉFACE DE 1805

Cette préface est un montage de citations provenant du *Génie du christianisme* et de la *Défense du Génie du christianisme*. Ce procédé permet d'appeler l'attention des lecteurs sur ces deux livres précédant celui qu'ils ont en main, voire de les leur vendre : c'est un moyen promotionnel mis en place par un auteur non dénué d'arrière-pensées mercantiles.

Les causes du « vague des passions »

Dans l'extrait du *Génie du christianisme,* Chateaubriand avance une explication du « vague des passions », après l'avoir défini ainsi : « c'est celui [un état d'âme] qui précède le développement des grandes passions, lorsque toutes les facultés, jeunes, actives, entières, mais renfermées, ne se sont exercées que sur elles-mêmes, sans but et sans objet » (l. 14-17).

L'auteur distingue deux causes à cet état d'âme. D'une part, il provient du progrès de la civilisation, car dans une civilisation avancée, on peut acquérir une expérience livresque des passions, qui rend blasé sans avoir réellement vécu. D'autre part, il s'explique par la fréquentation quotidienne des femmes.

Chateaubriand profite alors de l'espace préfaciel pour se livrer de nouveau à quelque auto-promotion, en annonçant un « drame admirable » auquel « les écrivains modernes » n'ont « pas encore songé » (l. 51-52).

Autodéfense

Le passage de la *Défense du Génie du christianisme* permet ensuite à Chateaubriand de répondre à ses détracteurs. Accusé d'avoir attenté à la pureté de la religion dans un ouvrage censé la défendre (*Le Génie du christianisme* dont est issu *René*) en mettant en scène un « Sauvage » et un marginal, l'auteur emploie plusieurs arguments pour sa défense.

D'abord, il a dû combattre avec les mêmes armes que ceux qui vont à l'encontre de la religion : s'ils le font grâce à des récits plaisants, alors lui aussi doit le faire. L'auteur poursuit en prétendant qu'il a mis en application dans *Atala* et dans *René* les préceptes théoriques énoncés dans le *Génie*. Il insiste sur le fait qu'il s'était donné pour but de persuader non pas des chrétiens, mais ceux qui n'avaient pas la foi : comme Pascal visait les libertins avec son pari, Chateaubriand avec *René* vise les athées ou les agnostiques[1] ; il faut donc qu'il adapte à ce public ses moyens de prosélytisme[2]. La citation de Dante illustre la même idée : avec une forme plaisante, l'œuvre littéraire a plus de chances de persuader et de répandre la vérité.

L'auteur entre ensuite dans les détails, avançant d'une part que *René* montre l'utilité des cloîtres, d'autre part que ce récit vise à combattre le « mal du siècle ». Les deux arguments, entre lesquels on ne voit pas *a priori* de lien, sont réunis de la façon suivante : avant que la Révolution ne détruise les monastères, les jeunes gens souffrant de ce mal pouvaient aller y guérir ; maintenant, ce n'est plus possible. Chateaubriand montre ainsi son attachement aux cloîtres, signifie qu'il lutte contre une attitude que son récit a contribué à répandre, et témoigne de ses idées contre-révolutionnaires.

Suit enfin un long développement sur le thème de l'inceste dans la mythologie et la Bible. Il vise à montrer que l'auteur est loin d'être le seul à traiter ce sujet scabreux présent dans le livre fondateur de la religion chrétienne.

---

1. *Agnostiques* : ceux qui réservent leur opinion sur l'existence de Dieu. Celle-ci ne pouvant être prouvée, ils ne savent pas s'il faut croire ou ne pas croire en Dieu. \ 2. *Prosélytisme* : zèle visant à répandre la foi.

Il présente l'amour incestueux dont René est l'objet comme une « punition » (l. 124) inscrite dans le cercle des « malheurs épouvantables » (l. 125).

Ainsi, la préface nous délivre les causes du « vague des passions » qui n'apparaissent pas dans le récit, tout en nous assurant de la parfaite adéquation du récit avec le but que s'est fixé Chateaubriand : se livrer à une défense et illustration de la religion chrétienne en direction des « incrédules » (l. 81).

LE DISCOURS DU PÈRE SOUËL

Ce discours constitue la réaction du prêtre à la confession de René. Censé émaner d'un homme d'Église, il donne la clé principale de l'interprétation du récit considéré comme un apologue au service du christianisme.

La réponse du père Souël est marquée par une grande sévérité, qui se repère dès le premier mot, « rien » (l. 962), employé deux fois : qu'est-ce que le récit qu'on vient de lui faire ? Rien ! Ce pronom indéfini se répercute dans le substantif « chimères » (l. 964), dans l'adjectif « inutiles » (l. 965), dans le groupe nominal « purs néants » (l. 970). Le prêtre redéfinit négativement le personnage de René : « Je vois un jeune homme [...] qui s'est soustrait aux charges de la société pour se livrer à d'inutiles rêveries » (l. 963-966) ; c'est un « jeune présomptueux » (l. 982).

Le père Souël utilise des formulations qui font écho à celles de Chateaubriand dans la préface : « On n'est point, monsieur, un homme supérieur parce qu'on aperçoit le monde sous un jour odieux » (l. 966-967). Si René est un double du Chateaubriand jeune homme, le père Souël semble un avatar du Chateaubriand presque quadragénaire en 1805. Le prêtre se révèle un redoutable analyste de la psychologie de René ; lorsqu'il lui dit qu'il craint que l'aveu d'Amélie « n'ait troublé [son] âme à son tour » (l. 976-977), il indique clairement qu'il pense que René partage alors les sentiments incestueux que sa sœur éprouvait envers lui.

Le père Souël indique à René deux moyens de sortir de son lamentable état : d'une part, la religion, d'autre part, l'utilité sociale : « Quiconque a reçu des forces doit les consacrer au service de ses semblables » (l. 986-987). Fidèle à une religion qui sait aussi manier le châtiment, il réinterprète les malheurs de René, en particulier l'amour incestueux dont il a été l'objet, comme des punitions divines : il a d'abord connu la « misère » (l. 988) de celui qui s'est coupé de Dieu, puis « le ciel » lui a envoyé « un châtiment effroyable » (l. 988-989).

Ainsi se trouve rattrapé le discours préfaciel qui assimilait l'inceste à une punition divine.

Avec le discours du père Souël, le lecteur voit comment interpréter le récit dans un sens chrétien : il faut juger sévèrement ce jeune homme qui n'a pas su trouver dans la religion et dans l'utilité sociale la réponse à ses malheurs.

L'APOLOGUE AMBIGU DE CHACTAS

Chactas commente le discours du père Souël en lui donnant apparemment raison. Pourtant, le conseil qu'il donne à son fils adoptif est ambigu ; comment « renoncer » à une vie que Chactas qualifie lui-même d'« extraordinaire » (l. 996) pour emprunter les « voies communes » (l. 997) ? Voilà un conseil qui semble donné pour qu'on ne le suive pas !

Ensuite, Chactas se livre à la narration d'un bref apologue où il personnifie le Meschacebé[1]. On peut bien sûr comprendre cet apologue comme une condamnation de l'orgueil (en se gonflant, la rivière acquiert de la majesté mais ravage tout sur son passage) qui rejoint alors le sermon du père Souël blâmant la prétendue supériorité des jeunes gens comme René. Mais on peut aussi se dire que les crues des rivières permettent de fertiliser les terres aux alentours. Ainsi de l'orgueil dont a fait preuve le Meschacebé sort non pas un mal mais un bien.

Juste après la confession de René, Chactas souligne sa ressemblance avec son fils adoptif (« tout me trouble et m'entraîne », l. 957) ; il brosse un rapide portrait du père Aubry qui disqualifie d'avance une partie du discours du père Souël, en rapprochant René et lui-même du père Aubry dont le cœur renfermait une paix qui « ne semblait cependant point étrangère aux tempêtes » (l. 953-954).

Ainsi Chactas, qui est le dernier personnage à parler, semble donner implicitement raison à René ; et cela d'autant plus que les dernières lignes du récit englobent René et le père Souël dans le même massacre, qu'on ne peut s'empêcher de percevoir, à la lecture du discours du prêtre, comme une punition divine atteignant indifféremment les deux personnages. Et, dans la dernière phrase, René est montré dans sa gloire posthume, son rocher figurant son trône de héros romantique. Avec cette ultime sacralisation, il est difficile de lire René comme une condamnation du « mal du siècle » !

---

1. *Meschacebé* : nom utilisé par certaines tribus indiennes pour désigner le fleuve Mississipi.

GROUPEMENT DE TEXTES : JUGEMENTS CRITIQUES

TEXTE 8 . George Sand, *Histoire de ma vie* (1854)

Dans le chapitre 6 de la IVe partie, George Sand évoque l'impression donnée par la lecture du texte de Chateaubriand.

> Je n'avais pas lu *René* [...]. Je le lus enfin, et j'en fus singulièrement affectée. Il me sembla que René c'était moi.

1. Quelle fut la réaction de George Sand à la lecture de *René* ? Pourquoi ? Qu'en pensez-vous ?

TEXTE 9 . Julien Gracq, « Le Grand Paon », *Préférences* (1961)

© José Corti.

> La France de la Révolution et de l'Empire, elle, a trouvé sur-le-champ une voix pour ce *spleen*, comme on dit si bien, pour ce viscère endommagé où ne se reforment que mal les globules rouges, et cette voix c'est celle de René.

1. Cherchez dans le dictionnaire d'où vient le substantif « spleen » et expliquez l'image que développe Julien Gracq.

2. Quelle qualité principale Julien Gracq décerne-t-il à *René* ? Est-elle justifiée selon vous ?

3. Le titre de l'essai, « Le Grand Paon », désigne Chateaubriand. Pourquoi, d'après vous, Julien Gracq l'a-t-il appelé ainsi ?

TEXTE 10 . Charles-Augustin Sainte-Beuve, *Chateaubriand et son groupe littéraire, sous l'Empire* (1848-1861)

Saint-Beuve indique les limites de *René* et l'attrait que le récit a exercé sur toute une génération.

> René commence par où Salomon[1] finit, par la satiété[2] et le dégoût. *Vanité des vanités*[3] ! voilà ce qu'il se dit avant d'avoir éprouvé les plaisirs et les passions ; il se le redit pendant et après : ou plutôt, pour

---

1. *Salomon* : roi d'Israël, fils du roi David, dont la vie est racontée dans la Bible (i, Rois, i-xi). \ **2.** *La satiété* : l'état d'une personne dont le besoin ou le désir a été satisfait. \ **3.** *Vanité des vanités* : citation du livre biblique intitulé *L'Ecclésiaste,* dont l'auteur est, d'après la tradition, le roi Salomon.

lui, il n'y a ni passions ni plaisirs ; son analyse les a décomposés
5 d'avance, sa précoce réflexion les a décolorés. Savoir trop tôt, savoir
toutes choses avant de les sentir, c'est là le mal de certains hommes,
de certaines générations presque entières, venues à un âge trop mûr
de la société. Ce travail que l'auteur du *Génie du christianisme* fait sur
la Religion, cherchant à la trouver belle avant de la sentir vivante et
10 vraie, à lui demander des sensations et des émotions avant de l'avoir
adoptée comme une règle divine, – ce travail inquiet et plus raisonné
qu'il n'en a l'air, René l'a appliqué de bonne heure à tous les objets
de la vie, à tous les sujets du sentiment. Avant d'aimer, il a tant rêvé
sur l'amour que son désir s'est usé de lui-même, et que lorsqu'il est
15 en présence de ce qui devrait le ranimer et l'enlever, il ne trouve plus
en lui la vraie flamme. Ainsi de tout. Il a tout dévoré par la pensée,
par cette jouissance abstraite, délicieuse hélas ! et desséchante, du
rêve ; son esprit est lassé et comme vieilli ; le besoin du cœur lui reste,
un besoin immense et vague, mais que rien n'est capable de remplir.
20 Quand on est René, on est double ; on est deux êtres d'âge diffé-
rent, et l'un des deux, le plus vieux, le plus froid, le plus désabusé,
regarde l'autre agir et sentir ; et, comme un mauvais œil, il le glace,
il le déjoue. L'un est toujours là qui empêche l'*autre* d'agir tout simple-
ment, naturellement, et de se laisser aller à la bonne nature. [...]
25 Tout cela dit, René garde son charme indicible[1] et d'autant plus
puissant. Il est la plus belle production de M. de Chateaubriand,
la plus inaltérable et la plus durable ; il est son portrait même. Il
est le nôtre. La maladie de René a régné depuis quarante-huit ans
environ ; nous l'avons tous eue plus ou moins et à divers degrés.
30 Vous, jeunes gens, vous ne l'avez plus. Mais serait-ce à nous, qui
l'avons partagée autant que personne, de venir ainsi vous en dire
le secret et vous en révéler la misère ?

1. Retrouvez les lignes de la préface auxquelles le début du texte de Sainte-
Beuve fait écho (du début jusqu'à « certaines générations presque entières »).

2. Faites de même pour l'expression « venues à un âge trop mûr de la société ».

3. Quelles critiques implicites pourrait-on distinguer dans la troisième phrase
du texte (« Ce travail que l'auteur [...] sentiment ») ?

---

1. *Indicible* : impossible à exprimer.

4. Quelle est la thèse développée dans le deuxième paragraphe ? Réfutez-la dans un paragraphe argumenté.

5. Quel est le sens de l'avant-dernière phrase ?

SUJETS

INVENTION ET ARGUMENTATION

Sujet 1

Après la longue lettre d'Amélie à son frère dont nous avons tout le texte (« Le Ciel m'est témoin, mon frère […] mon amitié », l. 579-649), René lui répond et Amélie lui envoie à son tour une autre lettre. Mais, cette fois, le texte ne nous en est pas donné. En vous aidant des informations contenues dans le récit à propos de ces deux lettres, écrivez-en le texte complet.

Sujet 2

Imaginez la réponse que pourrait faire René au discours final du père Souël (« Rien, dit-il au frère d'Amélie […] un châtiment effroyable », l. 962-989).

Sujet 3 : *analyse d'image* (page 4)

1. Commentez l'attitude du personnage.

2. Commentez l'expression de son visage, la direction de son regard et le mouvement de ses cheveux.

3. Dans quel décor Chateaubriand est-il représenté ? Pourquoi ?

4. En quoi Chateaubriand est-il ici représenté comme un héros romantique ?

Sujet 4 : *analyse d'image* (page 52)

1. Commentez la composition de l'image. Comment sont situés, les uns par rapport aux autres, les différents éléments qui constituent le tableau ?

2. Commentez l'attitude et la position du personnage.

3. En quoi, selon vous, ce tableau peut-il être qualifié de romantique ?

COMMENTAIRES

Sujet 5

TEXTE 11 • *René*

> En arrivant chez les Natchez [...] son âme.

> **> PAGES 15-16, LIGNES 1-29**

Après avoir répondu aux questions suivantes, vous ferez un commentaire organisé de ce texte. Vous pourrez par exemple montrer que la fonction de ce texte est, d'abord, de capter l'intérêt des lecteurs, puis de faire référence au passé des personnages, et, enfin, de mettre en place un exotisme discret.

1. Montrez que ce passage se réfère à un passé lointain.

2. Montrez que cet extrait souligne la dépendance du récit aux *Natchez* tout en construisant son autonomie.

3. Montrez que les lieux et les personnages sont présentés avec sobriété et concision.

4. Comment, dans cet incipit, Chateaubriand entreprend-il de capter l'attention de ses lecteurs ? Pourquoi pourrait-on dire que sa façon de le faire semble déroutante ?

Sujet 6

TEXTE 12 • *René*

> Mais comment exprimer [...] le démon de mon cœur.

> **> PAGES 30-32, LIGNES 421-457**

Après avoir répondu aux questions suivantes, vous ferez un commentaire organisé de ce texte. Vous pourrez notamment étudier comment Chateaubriand parvient à exprimer ce qu'il qualifie lui-même d'inexprimable, puis de quelle façon la nature reflète l'état d'âme du héros, et, enfin, comment le passage parvient à dresser le portrait du héros romantique.

1. Pourquoi René craint-il de ne pas pouvoir exprimer ce qu'il ressent ? Pourquoi ce trait de caractère peut-il être qualifié de romantique ?

2. Commentez la précision des évocations de René dans le passage. Qu'ont-elles de paradoxal ?

3. Commentez les correspondances établies entre le thème de l'automne et l'état d'âme de René.

4. Montrez que le passage est construit sur une gradation ascendante.

Sujet 7

TEXTE 13 • *René*

> La foudre qui fût tombée [...] confiance en mon amitié.
>
> **> PAGES 39-40, LIGNES 650-677**

Après avoir répondu aux questions suivantes, vous ferez un commentaire de ce texte. Vous pourrez étudier les réactions de René après la lecture de la lettre de sa sœur, le portrait d'Amélie et le portrait de René par lui-même.

1. Étudiez l'emploi des modalités interrogative et exclamative dans l'extrait.

2. Étudiez les métaphores du passage.

3. Montrez que René dresse un portrait d'Amélie.

4. Montrez que ce passage en apprend autant au lecteur sur René lui-même que sur Amélie.

DISSERTATIONS

Sujet 8

Pensez-vous que les œuvres de jeunesse des écrivains sont toujours auto-biographiques ?

Sujet 9

Un héros de roman peut-il être un personnage médiocre ?

Sujet 10

Le critique contemporain Charles Grivel a écrit dans *Production de l'intérêt romanesque* :

> Le roman prouve. [...] Raconter suppose la volonté d'enseigner, implique l'intention de dispenser une leçon, comme aussi celle de la rendre évidente.

Vous discuterez ces propos en vous fondant sur des exemples précis.